edition suhrkamp

Redaktion: Günther Busch

Bertrand Russell, geboren am 18. Mai 1872 in Trelleck, studierte am Trinity College Mathematik und Sozialwissenschaften. Während des Ersten Weltkriegs kam er wegen Aufforderung zur Kriegsdienstverweigerung ins Gefängnis. Er lehrte an den Universitäten Harvard, Oxford, London, Peking, Chicago, Los Angeles. 1950 wurde er mit dem Nobelpreis für Literatur ausgezeichnet. Wichtige Werke: *The Principles of Mathematics* 1903; *Principia Mathematica*, 3 Bde. 1910–13; *The Problems of Philosophy* 1912; *Mysticism and Logic* 1917; *An Outline of Philosophy* 1927; *An Inquiry into Meaning and Truth* 1940; u. a.

In diesem Buch, einer der frühen Schriften des englischen Philosophen, wird der Versuch unternommen, die unmittelbare Erfahrung mit dem Weltbild der Physik zu vereinen. Für Russell sind Substanz, Materie und die Gegenstände keine Realitäten, sondern logische Konstruktionen. Dieser Gesichtspunkt bestimmt seine Erkenntnistheorie wie seine Kritik an den traditionellen philosophischen Fragestellungen. Wichtig geworden sind die in den *Problemen der Philosophie* vorgetragenen Gedanken für die Entwicklung des logischen Positivismus; der Autor fragt nach den Möglichkeiten des Philosophierens in einem Zeitalter, das die Metaphysik verabschiedet hat und dessen Wissensstand entscheidend von der Naturforschung geprägt ist.

Bertrand Russell
Probleme der Philosophie

Suhrkamp Verlag

Titel der Originalausgabe *The Problems of Philosophy*
Aus dem Englischen übersetzt und mit einem Nachwort versehen von Eberhard Bubser

edition suhrkamp 207
4. Auflage, 22.–31. Tausend 1970

Satz und Druck bei der MZ-Verlagsdruckerei GmbH, Memmingen. Bindung bei Hans Klotz. Gesamtausstattung Willy Fleckhaus.

Inhalt

Vorbemerkung 7
1 Erscheinung und Wirklichkeit 9
2 Die Existenz der Materie 18
3 Die Natur der Materie 26
4 Der Idealismus 35
5 Erkenntnisformen: Bekanntschaft und Beschreibung 43
6 Über Induktion 54
7 Unsere Erkenntnis allgemeiner Prinzipien 63
8 Wie apriorische Erkenntnis möglich ist 73
9 Die Welt der Universalien 81
10 Unsere Erkenntnis von Universalien 90
11 Intuitive Erkenntnis 99
12 Wahrheit und Falschheit 106
13 Wissen, Irrtum und Wahrscheinlichkeit 116
14 Die Grenzen philosophischer Erkenntnis 125
15 Der Wert der Philosophie 135

Nachwort von Eberhard Bubser 143

Literaturhinweise 151

Vorbemerkung

Ich habe mich auf den folgenden Seiten hauptsächlich auf die Behandlung solcher Probleme der Philosophie beschränkt, zu denen ich Positives und Konstruktives sagen zu können glaubte, weil hier wohl nicht der richtige Ort für bloß negative Kritik ist. Deshalb nimmt in diesem Buch die Erkenntnistheorie mehr Raum ein als die Metaphysik, und einige Themen, die von Philosophen viel diskutiert werden, sind nur kurz oder überhaupt nicht behandelt worden.

Eine wertvolle Hilfe waren mir unveröffentlichte Schriften von G. E. Moore und J. M. Keynes: die Moores bei der Behandlung der Beziehungen zwischen Sinnesdaten und materiellen Dingen, die von Keynes zum Thema Wahrscheinlichkeit und Induktion*. Auch die Kritik und die Anregungen Professor Gilbert Murrays waren für mich ein großer Gewinn.

B. R., 1912

* Es handelt sich bei diesen Schriften um George Edward Moores erst 1953 veröffentlichte Vorlesungen *Some Main Problems of Philosophy* und um Vorarbeiten zu dem 1921 veröffentlichten *Treatise on Probability* von John Maynard Keynes, dessen epochemachendes ökonomisches Hauptwerk *The General Theory of Employment, Interest and Money* (1936) wurde. *(Anm. d. Üb.)*

1 Erscheinung und Wirklichkeit

Gibt es auf dieser Welt eine Erkenntnis, die so unumstößlich gewiß ist, daß kein vernünftiger Mensch daran zweifeln kann? – Auf den ersten Blick scheint das vielleicht keine schwierige Frage zu sein, aber in Wirklichkeit handelt es sich um eine der schwierigsten, die es gibt. Wenn uns klar geworden ist, welche Hindernisse einer direkten und zuversichtlichen Antwort im Wege stehen, haben wir es in der Philosophie schon ein Stück weit gebracht. Die Philosophie ist nämlich nichts anderes als der Versuch, solche fundamentalen Fragen zu beantworten, und zwar nicht gedankenlos und dogmatisch zu beantworten, wie wir das im Alltag und selbst in der Wissenschaft oft tun, sondern kritisch, nachdem wir untersucht haben, was solche Fragen rätselhaft macht, und nachdem wir die ganze Verworrenheit und Verschwommenheit unserer normalen Vorstellungen erkannt haben.

Für gewöhnlich halten wir viele Dinge für sicher und gewiß, an denen bei näherem Zusehen so viele Widersprüche sichtbar werden, daß wir lange nachdenken müssen, bevor wir wissen, was wir glauben dürfen. Es ist nur natürlich, wenn wir auf unserer Suche nach Gewißheit bei den Erlebnissen anfangen, die wir jetzt, in diesem Augenblick haben, und ohne Zweifel lassen sie uns in irgendeinem Sinne etwas erkennen. Aber jede Aussage darüber, was es ist, das uns unsere gegenwärtigen Erlebnisse zu wissen geben, hat gute Chancen, falsch zu sein.

Es scheint mir, daß ich jetzt auf einem Stuhl sitze, an einem Tisch von bestimmter Gestalt, auf dem ich beschriebene oder bedruckte Papiere sehe. Wenn ich meinen Kopf drehe, sehe ich vor dem Fenster Gebäude, Wolken und die Sonne. Ich glaube, daß die Sonne etwa 150 Millionen Kilometer von der Erde entfernt ist, daß sie eine heiße Kugel und sehr viel größer als die Erde ist, daß sie dank der Erdumdrehung jeden Morgen aufgeht und noch bis in die ferne Zukunft aufgehen wird. Ich glaube, daß, wenn irgendein anderer normaler Mensch in mein Zimmer kommt, er dieselben Stühle, Tische, Bücher und Papiere sehen wird, die ich auch sehe, und daß der Tisch, den

ich sehe, derselbe ist wie der Tisch, dessen Druck gegen meinen aufgestützten Arm ich spüre.
Es lohnt sich kaum, dies alles ausdrücklich zu sagen, außer wenn ich es mit jemandem zu tun habe, der zweifelt, ob ich überhaupt etwas weiß. Und doch kann man es vernünftigerweise bezweifeln, und wir werden lange und gründlich überlegen müssen, bevor wir sicher sein können, daß wir unsere Aussagen in eine einwandfreie Form gebracht haben.
Um uns die auftauchenden Schwierigkeiten deutlich zu machen, wollen wir unsere Aufmerksamkeit auf den Tisch richten. Dem Auge erscheint er viereckig, braun und glänzend, dem Tastsinn glatt und kühl und hart; wenn ich auf ihn klopfe, klingt es nach Holz. Jedermann, der den Tisch sieht, befühlt und beklopft, wird meiner Beschreibung zustimmen, so daß es auf den ersten Blick aussieht, als ob es gar keine Schwierigkeiten gäbe. Sie fangen erst an, wenn wir genauer zu sein versuchen: Obwohl ich glaube, daß der Tisch »in Wirklichkeit« überall die gleiche Farbe hat, sehen die Stellen, die das Licht reflektieren, viel heller aus als die übrigen, einige Stellen erscheinen infolge des reflektierten Lichts sogar weiß. Ich weiß, daß andere Stellen das Licht reflektieren werden, wenn ich mich bewege; die scheinbare Verteilung der Farben auf dem Tisch wird sich bei jeder Bewegung, die ich mache, verändern. Es folgt, daß, wenn mehrere Leute den Tisch gleichzeitig betrachten, keine zwei genau dieselbe Farbverteilung sehen werden, weil ihn keine zwei von genau demselben Punkt aus betrachten können, und weil jede Veränderung des Blickpunkts auch eine Verschiebung der reflektierenden Stellen mit sich bringt. Für praktische Zwecke sind diese Unterschiede meist uninteressant, aber für den Maler zum Beispiel bedeuten sie alles: Der Maler muß sich abgewöhnen zu denken, daß an den Dingen die Farben sichtbar sind, die sie nach unserem Hausverstand »wirklich« haben, und er muß sich angewöhnen, sie so zu sehen, wie sie erscheinen. Hier kommen wir auf einen Unterschied, der in der Philosophie eine große Rolle spielt – den Unterschied zwischen *»Erscheinung«* und *»Wirklichkeit«*, zwischen dem, was die Dinge zu sein scheinen, und dem, was sie sind. Der Maler will wissen, wie die Dinge erscheinen; der Praktiker und der Philosoph wollen wissen, was

sie sind. Dabei ist der Erkenntnisdrang des Philosophen stärker als der des Praktikers, und überdies hat der Philosoph ein lebhafteres Bewußtsein von den Schwierigkeiten, die der Erfüllung seines Wunsches im Wege stehen.

Um auf unseren Tisch zurückzukommen: Wir haben festgestellt, daß es keine Farbe gibt, die vor allen anderen als *die* Farbe des Tisches oder auch nur eines bestimmten Teils des Tisches gelten kann – er erscheint von verschiedenen Blickpunkten aus in verschiedenen Farben, und es gibt keinen Grund, eine dieser Farben mehr für »seine« Farbe zu halten als die übrigen. Wir wissen außerdem, daß selbst von einem vorgegebenen Blickpunkt aus die Farbe bei künstlichem Licht anders erscheinen wird als bei natürlichem; einem Farbenblinden oder jemandem, der eine blaue Brille trägt, wird sie anders erscheinen als uns, und im Dunkeln wird überhaupt keine Farbe erscheinen, obwohl der Tisch für Gehör und Tastsinn unverändert bleibt. *Diese* Farbe ist also nicht etwas dem Tisch Innewohnendes, sondern etwas, das vom Tisch *und* dem Betrachter *und* der Beleuchtung abhängig ist. Wenn wir unreflektiert von *der* Farbe des Tisches sprechen, meinen wir nur die Farbe, die einem normalen Beobachter von einem normalen Blickpunkt aus bei normaler Beleuchtung erscheinen wird. Aber die anderen Farben, die unter anderen Verhältnissen erscheinen, haben ein ebenso gutes Recht, für »wirklich« genommen zu werden, und deshalb müssen wir – um den Verdacht der Begünstigung zu vermeiden – leugnen, daß der Tisch, für sich genommen, irgendeine bestimmte Farbe habe.

Dasselbe gilt für die Struktur der Oberfläche. Mit dem bloßen Auge kann man sehen, wie die Fasern des Holzes verlaufen, aber im übrigen sieht der Tisch glatt und eben aus. Wenn wir ihn durch ein Mikroskop betrachteten, dann würden wir Unebenheiten bemerken, Erhöhungen und Vertiefungen und allerlei Unterschiede, die für das bloße Auge unsichtbar sind. Wann sehen wir den »wirklichen« Tisch? Wir sind geneigt zu sagen, daß das, was wir durchs Mikroskop sehen, »wirklicher« ist, aber auch das würde sich ja wieder ändern, sobald wir ein stärkeres Mikroskop benutzen. Wenn wir dem, was wir mit bloßem Auge sehen, nicht trauen dürfen, warum sollten wir dem trauen, was wir durchs Mikroskop sehen? So verlieren wir wiederum das Vertrauen in unsere Sinne, von dem wir ausgegangen sind.

Mit der *Gestalt* des Tisches steht es nicht besser. Wir haben alle die Gewohnheit, Urteile über die »wirkliche« Gestalt von Dingen abzugeben, und wir tun das so gedankenlos, daß wir uns einbilden, wir sähen tatsächlich die wirklichen Gestalten. Aber wenn wir versuchen, etwas zu zeichnen, müssen wir alle lernen, daß ein bestimmter Gegenstand von jedem Blickpunkt aus eine andere Gestalt hat. Wenn unser Tisch »in Wirklichkeit« rechtwinklig ist, wird es von fast allen Blickpunkten aus so erscheinen, als ob seine Platte zwei spitze und zwei stumpfe Winkel hätte. Wenn gegenüberliegende Seiten parallel sind, werden sie anscheinend in einem Punkt in der dem Betrachter entgegengesetzten Richtung zusammenlaufen; wenn sie gleich lang sind, wird es so aussehen, als ob die nähere Seite länger wäre. All diese Dinge bemerkt man normalerweise nicht, wenn man einen Tisch betrachtet, weil die Erfahrung uns gelehrt hat, die »wirkliche« Gestalt aus der erscheinenden zu konstruieren, und die »wirkliche« Gestalt ist die, die uns in der Praxis interessiert.

Diese »wirkliche« Gestalt ist jedoch nicht das, was wir sehen; sie ist etwas, das von uns aus dem Gesehenen erschlossen worden ist. Und was wir sehen, verändert dauernd seine Gestalt, während wir uns durch den Raum bewegen, so daß uns unsere Sinne auch in diesem Falle offenbar nicht die Wahrheit über den Tisch selbst, sondern nur über seine Erscheinung sagen.

Ähnliche Schwierigkeiten ergeben sich für den Tastsinn. Zwar haben wir immer eine Empfindung von der Härte des Tisches, und wir fühlen, wie er unserem Druck widersteht. Aber was wir im einzelnen für eine Empfindung haben, hängt davon ab, wie stark wir auf den Tisch drücken, und mit welchem Teil unseres Körpers wir das tun; daher können wir nicht annehmen, daß die verschiedenen Empfindungen, die durch verschieden starken Druck in verschiedenen Teilen unseres Körpers hervorgerufen werden, uns *unmittelbar* eine bestimmte Eigenschaft des Tisches enthüllen; sie sind höchstens *Zeichen* einer Eigenschaft, die vielleicht all diese Empfindungen *verursacht,* aber nicht selbst in einer von ihnen erscheint. Und

dasselbe gilt ohne Zweifel auch für die Geräusche, die wir hervorrufen können, wenn wir auf den Tisch klopfen.
Es ist daher einleuchtend, daß der »wirkliche« Tisch – wenn es ihn gibt – nicht der ist, den wir durch unseren Gesichts- oder Tastsinn oder durch das Gehör unmittelbar wahrnehmen. Der wirkliche Tisch – wenn es einen gibt – ist uns überhaupt nicht *unmittelbar* bekannt, sondern muß etwas sein, das aus dem uns unmittelbar Bekannten erschlossen worden ist. Wir müssen uns infolgedessen hier gleich zwei schwierige Fragen stellen: 1. Gibt es überhaupt einen wirklichen Tisch? 2. Wenn ja, was für eine Art Gegenstand kann das sein?
Wir werden diese Fragen leichter diskutieren können, wenn wir einige Ausdrücke einführen, deren Bedeutung klar und fest umrissen ist. Als *»Sinnesdaten«* wollen wir die Dinge bezeichnen, die uns unmittelbar in der Wahrnehmung gegeben sind: z. B. Farben, Geräusche, Gerüche, Härten, Rauheiten usf. Als *»Empfindung«* wollen wir das *Erlebnis* bezeichnen, das wir haben, wenn wir diese Dinge unmittelbar wahrnehmen. So haben wir immer, wenn wir eine Farbe sehen, eine Empfindung dieser bestimmten Farbe, aber die Farbe *selbst* ist ein Sinnesdatum und keine Empfindung. Die Farbe ist das, was wir unmittelbar wahrnehmen, und das unmittelbare Wahrnehmen selbst ist die Empfindung.
Soviel ist klar: wenn wir etwas über den Tisch wissen, muß dies vermittels der Sinnesdaten – braune Farbe, rechteckige Gestalt, Glätte usw. –, die wir im Zusammenhang mit dem Tisch haben, zustande kommen; aber aus den angeführten Gründen können wir nicht sagen, der Tisch wäre *dasselbe* wie die Sinnesdaten, oder auch nur, daß die Sinnesdaten unmittelbar Eigenschaften des Tisches wären. Damit stellt sich die Frage nach der Beziehung der Sinnesdaten zum wirklichen Tisch – immer vorausgesetzt, daß es ihn gibt.
Den wirklichen Tisch – wenn es ihn gibt – wollen wir »materiellen Gegenstand« nennen. Wir haben somit die Beziehung zwischen Sinnesdaten und materiellen Gegenständen zu betrachten. Die Gesamtheit aller materiellen Gegenstände nennt man »Materie«. Jetzt können wir unsere beiden Fragen erneut und anders formulieren, nämlich: 1. Gibt es so etwas wie Materie? 2. Wenn ja, worin besteht das Wesen dieser Materie?

Der Philosoph, der zuerst mit allem Nachdruck die Gründe dafür vorgebracht hat, daß man unseren unmittelbaren Sinnesgegebenheiten keine von uns unabhängige Existenz zuschreiben dürfe, war Bischof Berkeley (1685–1753). In seinen *Drei Dialogen zwischen Hylas und Philonous, gegen Skeptiker und Atheisten* versucht er zu beweisen, daß es überhaupt keine Materie gibt und daß die Welt nur aus Wesen mit Bewußtsein bzw. »Geistern« (minds) und ihren Vorstellungen (ideas) besteht. Hylas (der Name leitet sich vom griechischen »Hyle«, Stoff, Materie, her) hat bisher an die Materie geglaubt, aber er ist Philonous (dem »Freund des Geistes«) nicht gewachsen, der ihn in der Debatte erbarmungslos in Widersprüche und Ungereimtheiten verwickelt, und der zu guter Letzt seine eigene Leugnung der Materie beinahe als eine normale Einsicht des gesunden Menschenverstandes erscheinen läßt. Berkeleys Argumente sind von unterschiedlicher Qualität: einige sind wichtig und zutreffend, andere verworren oder spitzfindig. Ihm bleibt jedoch das Verdienst, gezeigt zu haben, daß man die Existenz der Materie ohne Widerspruch leugnen kann und daß – wenn es Dinge gibt, die unabhängig von uns existieren – dies nicht die Dinge sein können, die uns in unseren Empfindungen unmittelbar gegeben sind.
Mit der Frage, ob Materie existiert, sind zwei verschiedene Probleme angesprochen, und es ist wichtig, sie auseinanderzuhalten. Normalerweise meinen wir mit »Materie« etwas, das dem Bewußtsein entgegengesetzt ist, etwas, das im Raum ist, nicht denken kann und kein Bewußtsein hat. Es ist vor allem Materie in diesem Sinne, die von Berkeley geleugnet wird, d. h. er leugnet nicht, daß die Sinnesdaten, die wir normalerweise als Zeichen für die Existenz des Tisches auffassen, wirklich Zeichen für etwas unabhängig von uns Existierendes sind; er leugnet jedoch, daß dieses Etwas nicht geistig sei, daß es weder Bewußtsein noch die Vorstellung irgendeines Bewußtseins wäre. Er gibt zu, daß es etwas geben muß, das weiter existiert, wenn wir das Zimmer verlassen oder unsere Augen schließen, und daß das Erlebnis, das wir »Sehen des Tisches« nennen, uns Grund gibt, an etwas zu glauben, das fortdauert, auch wenn wir es nicht sehen. Aber er meint, daß dies fortdauernde Etwas nicht wesentlich verschieden von dem

sein kann, was wir sehen, und daß es nicht ganz und gar vom Sehen unabhängig sein kann, obgleich es von *unserem* Sehen unabhängig sein muß. So kommt er dazu, den »wirklichen« Tisch als eine Vorstellung im Bewußtsein Gottes aufzufassen. Eine solche Vorstellung hätte die erforderliche Dauerhaftigkeit und Unabhängigkeit von uns, ohne daß sie – wie die Materie – ein ganz unerkennbares Etwas wäre, d. h. etwas, das uns nur durch logische Folgerungen, aber nie direkt und unmittelbar gegeben ist.

Auch nach Berkeley haben Philosophen behauptet, daß die Existenz des Tisches zwar nicht davon abhängt, daß ich ihn sehe, aber doch davon, daß *irgendein* Bewußtsein ihn sieht oder in einer anderen Empfindungsform erfaßt. Es braucht dies nicht das Bewußtsein Gottes zu sein, häufiger wird das kollektive Bewußtsein des Universums zitiert. Sie haben das – ebenso wie Berkeley – hauptsächlich deshalb behauptet, weil sie meinen, es könnte nichts Wirkliches – oder zumindest doch nichts als wirklich Erkanntes – geben außer Wesen, die Bewußtsein (minds) haben, und ihren Gedanken und Gefühlen. Wir können das Argument, auf das sie ihre Ansicht stützen, etwa so formulieren: »Was immer gedacht werden kann, ist eine Vorstellung im Bewußtsein der denkenden Person; deshalb kann nichts gedacht werden, was nicht Vorstellung in irgendeinem Bewußtsein ist; alles andere ist undenkbar, und was undenkbar ist, kann nicht existieren.«

Ich halte dieses Argument für fehlerhaft; abgesehen davon, daß diejenigen, die es vertreten, es natürlich nicht in so kurzer und kruder Form vortragen. Aber ob gültig oder nicht, jedenfalls ist es in der einen oder anderen Form sehr häufig vorgebracht worden, und viele Philosophen – vielleicht die meisten – haben behauptet, daß es nichts Wirkliches gibt außer dem Bewußtsein und seinen Vorstellungen. Solche Philosophen nennt man »Idealisten«. Wenn es darum geht, die Materie zu erklären, sagen sie entweder – wie Berkeley –, daß Materie nichts als eine Kollektion von Vorstellungen sei, oder sie sagen – wie Leibniz (1646–1716) –, daß das, was uns als Materie erscheint, in Wirklichkeit eine Ansammlung mehr oder minder bewußter Existenzen sei.

Aber obwohl diese Philosophen die Materie als Gegensatz des

Bewußtseins leugnen, geben sie ihre Existenz in einem anderen Sinne zu. Wir erinnern uns, daß wir zwei Fragen gestellt haben, nämlich 1. »Gibt es überhaupt einen wirklichen Tisch?« und 2. »Wenn ja, was für eine Art von Gegenstand kann das sein?« – Sowohl Berkeley als auch Leibniz geben zu, daß es einen wirklichen Tisch gibt; jedoch sagt Berkeley, daß es sich dabei um bestimmte Vorstellungen im Bewußtsein Gottes handele, und Leibniz sagt, der Tisch bestünde aus einer Kolonie von Seelen. Beide bejahen also unsere erste Frage, und nur ihre Antwort auf die zweite Frage weicht von den Ansichten gewöhnlicher Sterblicher ab. Tatsächlich scheinen sich fast alle Philosophen einig zu sein, daß es einen wirklichen Tisch gibt: fast alle stimmen darin überein, daß, wie sehr unsere Sinnesdaten – Farbe, Gestalt, Glätte usw. – auch von uns selber abhängig sind, ihr Vorkommen dennoch ein Zeichen für etwas unabhängig von uns Existierendes ist, etwas, das von unseren Sinnesdaten vielleicht ganz und gar verschieden ist und dennoch als ihre Ursache betrachtet werden muß, wenn wir die den Erscheinungen entsprechende Beziehung zum wirklichen Tisch haben.

Nun ist offenbar dieser Punkt, in dem die Philosophen übereinstimmen – *daß* es einen wirklichen Tisch gibt, worin auch immer sein Wesen bestehen mag – von entscheidender Wichtigkeit; und es ist der Mühe wert, die Gründe für diese Annahme zu betrachten, bevor wir uns mit der Frage nach dem Wesen des wirklichen Tisches beschäftigen. Unser nächstes Kapitel behandelt daher die Gründe für die Annahme, daß es überhaupt einen wirklichen Tisch gibt.

Bevor wir fortfahren, wollen wir jedoch kurz zusammenfassen, was wir bisher entdeckt haben. Es hat sich herausgestellt, daß – wenn wir einen Gegenstand nehmen, den man normalerweise durch Sinneswahrnehmung zu kennen glaubt – die Sinne uns nicht *unmittelbar* die Wahrheit über den Gegenstand, wie er unabhängig von uns existiert, erkennen lassen, sondern nur die Wahrheit über gewisse Sinnesdaten, die – soweit wir das ausmachen können – von den Beziehungen zwischen uns und dem Gegenstand abhängig sind. Was wir unmittelbar sehen und fühlen, ist daher bloße »Erscheinung«, und wir glauben, daß diese Erscheinung als Zeichen auf eine hinter ihr liegende Wirklichkeit verweist. Aber wenn die Wirklichkeit nicht das ist, was erscheint, gibt es dann Mittel, mit deren Hilfe man erkennen kann, ob es überhaupt »Wirklichkeit« gibt? Und wenn ja, besitzen wir auch Mittel, um herauszufinden, wie sie beschaffen ist?

Solche Fragen verwirren uns, und es macht Mühe, sich zu vergewissern, ob nicht die seltsamsten Vermutungen wahr sein könnten. Unser gewohnter Tisch, der uns bisher kaum Anlaß zum Nachdenken gegeben hat, ist zu einem Problem geworden, in dem viele Überraschungen verborgen sein können. Wir wissen nur eines von ihm: daß er nicht so ist, wie er erscheint. Über dieses bescheidene Ergebnis hinaus haben wir alle erdenkliche Freiheit, Vermutungen über ihn anzustellen. Leibniz sagt, daß er aus einer Gemeinschaft von Seelen besteht; Berkeley sagt, er sei eine Vorstellung im Bewußtsein Gottes; und nicht weniger seltsam ist, was uns die nüchterne Wissenschaft sagt: daß er aus zahllosen, in heftiger Bewegung befindlichen elektrischen Ladungen bestehe.

Angesichts dieser überraschenden Möglichkeiten regt sich der Zweifel, ob es überhaupt einen Tisch gibt. Die Philosophie kann nicht so viele Fragen *beantworten*, wie wir gern möchten; aber sie kann wenigstens Fragen *stellen*, die unser Interesse an der Welt vergrößern und uns zeigen, wie dicht unter der Oberfläche der alltäglichen Dinge alles seltsam und erstaunlich wird.

2 Die Existenz der Materie

In diesem Kapitel müssen wir uns fragen, ob es in irgendeinem Sinne so etwas wie Materie gibt. Gibt es einen Tisch, dem bestimmte Eigenschaften unabhängig von mir zukommen und der weiterexistiert, wenn ich ihn nicht betrachte, oder ist der Tisch nur ein Produkt meiner Einbildungskraft, ein Traumtisch in einem sehr langen Traum? Diese Frage ist von größter Bedeutung. Denn wenn wir nicht sicher sein können, daß Gegenstände unabhängig von uns existieren, können wir auch nicht sicher sein, daß die Körper anderer Menschen unabhängig von uns existieren, von ihrem Bewußtsein ganz zu schweigen: denn es gibt keinen Grund, an die Existenz ihres Bewußtseins zu glauben, der sich nicht auf die Beobachtung ihrer Körper stützt. Wenn wir nicht an die unabhängige Existenz von Gegenständen glauben können, sind wir allein in der Wüste – vielleicht ist die Außenwelt nur ein Traum, und nichts außer uns existiert. Das ist eine unerfreuliche Möglichkeit; aber obwohl man nicht strikt *beweisen* kann, daß sie nicht zutrifft, gibt es auch nicht den geringsten Grund, diesen Gedanken für wahr zu halten. Weshalb das so ist, werden wir jetzt untersuchen.

Bevor wir auf diese dunklen und an Zweifeln reichen Fragen eingehen, wollen wir einen mehr oder weniger festen Ausgangspunkt suchen. Wir bezweifeln die materielle Existenz des Tisches, aber zweifeln nicht an der Existenz der Sinnesdaten, die uns zu dem Gedanken veranlassen, daß es einen Tisch gibt; wir bezweifeln nicht, daß eine bestimmte Farbe und Gestalt erscheinen, wenn wir hinsehen, und daß wir eine Druckempfindung haben, wenn wir auf die Tischplatte drücken. Diese psychologischen Tatsachen stehen für uns nicht in Frage. Überhaupt, woran immer man auch sonst zweifeln mag, wenigstens einige unserer unmittelbaren Erlebnisse scheinen uns absolut gewiß zu sein.

Descartes (1596–1650), der Begründer der modernen Philosophie, hat eine Methode erfunden, die man heute noch mit Gewinn gebrauchen kann – die Methode des systematischen Zwei-

felns. Er entschloß sich, nichts zu glauben, dessen Wahrheit er nicht klar und deutlich einsähe. Was sich bezweifeln ließ, wollte er bezweifeln, solange er keinen Grund fand, nicht mehr daran zu zweifeln. Durch Anwendung dieser Methode kam er nach und nach darauf, daß das einzige, dessen Existenz ihm *ganz* gewiß war, er selber wäre. Er stellte sich einen lügenden Dämon vor, der seinen Sinnen in einem endlosen Gaukelspiel unwirkliche Dinge vorführte: es war vielleicht sehr unwahrscheinlich, daß es einen solchen Dämon gab, aber es war möglich, und daher durfte man an den durch die Sinne wahrgenommenen Dingen zweifeln.
An seiner eigenen Existenz konnte er jedoch nicht zweifeln; denn wenn er nicht existiert hätte, hätte ihn auch kein Dämon täuschen können. Wenn er zweifelte, mußte er existieren; wenn er überhaupt etwas erlebte, mußte er existieren. Seine eigene Existenz war daher eine absolute Gewißheit für ihn. »Ich denke, darum bin ich« (Cogito, ergo sum). Auf der Grundlage dieser Gewißheit ging er daran, die Welt des Wissens, die sein Zweifel in Trümmer gelegt hatte, wieder aufzubauen.
Dadurch, daß er die Methode des Zweifels erfand und zeigte, daß im Subjektiven die größte Gewißheit zu finden ist, leistete Descartes der Philosophie einen großen Dienst, der auch heute noch für alle, die sich mit diesem Gegenstand beschäftigen, von Wert ist.
Aber man muß das Cartesische Argument doch mit einer gewissen Vorsicht gebrauchen. »*Ich* denke, darum bin *ich*« behauptet etwas mehr, als im strikten Sinne gewiß ist. Es mag so scheinen, als ob wir ganz sicher wären, daß wir heute dieselbe Person wie gestern sind, und bestimmt ist das in einem gewissen Sinne auch wahr. Aber das wirkliche Selbst ist ebenso schwer zu entdecken wie der wirkliche Tisch, und ihm kommt wohl doch nicht diese absolut zwingende Gewißheit zu, die einzelne Erlebnisse an sich haben. Wenn ich meinen Tisch betrachte und eine bestimmte braune Farbe sehe, dann ist nicht »*Ich* sehe jetzt einen braunen Farbton« eine unbezweifelbare Aussage, sondern »Ein brauner Farbton wird in diesem Moment gesehen«. Natürlich setzt dies irgend etwas (oder irgend jemanden) voraus, das (oder der) den braunen Farbton sieht,

aber für sich genommen impliziert es noch nicht jene mehr oder weniger dauerhafte Person, die wir »ich« nennen. Soweit die unmittelbare Gewißheit reicht, könnte es sein, daß es das, was den braunen Farbton sieht, nur für diesen einen Moment gibt, und daß es nicht dasselbe ist, was im nächsten Augenblick ein anderes Erlebnis hat.

Nur unsere einzelnen Gedanken und Empfindungen haben also eine ursprüngliche Gewißheit an sich, und das gilt für Träume und Halluzinationen ebenso wie für normale Wahrnehmungen: Wenn wir träumen oder ein Gespenst sehen, haben wir ganz gewiß die Empfindungen, die wir zu haben meinen, nur glaubt man eben aus verschiedenen Gründen, daß diesen Empfindungen keine körperlichen Gegenstände entsprechen. Die Gewißheit der Erkenntnis unserer eigenen Erlebnisse wird daher nicht durch irgendwelche Ausnahmefälle eingeschränkt. Hier haben wir also fürs erste eine solide Grundlage, von der aus wir unsere Suche nach Wissen beginnen können.

Unser Problem stellt sich so: Zugegeben, daß wir unserer eigenen Sinnesdaten gewiß sind; aber gibt es einen Grund, sie als Zeichen für die Existenz von etwas anderem, das wir materielles Objekt nennen können, zu nehmen? Wenn wir alle Sinnesdaten, die wir normalerweise als mit dem Tisch verknüpft ansehen würden, aufgezählt haben: haben wir dann alles gesagt, was es über den Tisch zu sagen gibt, oder gibt es noch etwas anderes – etwas, das kein Sinnesdatum ist, etwas, das fortdauert, wenn wir das Zimmer verlassen? Unser Hausverstand antwortet ohne Zögern, daß es so etwas gibt. Was man kaufen und verkaufen, herumschieben und mit einem Tischtuch bedecken kann, das kann ja nicht *bloß* eine Kollektion von Sinnesdaten sein. Wenn das Tischtuch den Tisch völlig bedeckt, haben wir kein einziges Sinnesdatum vom Tisch, und wenn der Tisch nur aus Sinnesdaten bestünde, würde er jetzt aufgehört haben zu existieren und das Tuch würde in der leeren Luft hängen, durch ein Wunder an der Stelle in der Schwebe gehalten, an der vorher der Tisch gestanden hat. Das scheint ganz absurd; aber wer ein Philosoph werden will, darf sich nicht vor Absurditäten fürchten.

Wir fühlen, daß wir einen materiellen Gegenstand zusätzlich zu den Sinnesdaten brauchen, und ein Hauptgrund dafür ist, daß wir schließlich für verschiedene Menschen *denselben* Gegenstand brauchen. Wenn zehn Leute an einer Tafel sitzen, scheint es lächerlich, behaupten zu wollen, daß die zehn nicht dasselbe Tischtuch, dieselben Gedecke und dieselben Gläser sähen. Sinnesdaten sind jedoch Privatbesitz jedes einzelnen; was dem Blick des einen unmittelbar gegenwärtig ist, ist dem Blick des anderen nicht unmittelbar gegenwärtig: sie alle sehen die Dinge unter – wenn auch vielleicht nur wenig – verschiedenen Gesichtspunkten, und daher erscheinen sie ihnen auch verschieden. Wenn es öffentliche und neutrale Gegenstände geben soll, die in irgendeinem Sinne verschiedenen Leuten bekannt sein können, muß es deshalb noch etwas anderes geben als die privaten und einzelnen Sinnesdaten, die verschiedene Leute haben. Welche Gründe gibt es, die für die Annahme solcher öffentlichen und neutralen Gegenstände sprechen?

Die nächstliegende Antwort ist, daß – obgleich verschiedene Leute den Tisch auch ein wenig verschieden sehen – sie doch alle mehr oder weniger ähnliche Dinge sehen, wenn sie auf den Tisch blicken; und die Veränderungen in dem, was sie sehen, gehorchen den Gesetzen der Perspektive und der Lichtreflexion, so daß man leicht zu einem dauernden Gegenstand kommen kann, der allen Sinnesdaten verschiedener Leute zugrunde liegt. Ich habe meinen Tisch dem ehemaligen Bewohner meines Zimmers abgekauft; ich konnte nicht *seine* Sinnesdaten kaufen; die starben sozusagen, als er fortzog; aber was ich unter anderem kaufte, war die zuversichtliche Erwartung, daß ich mehr oder weniger ähnliche Sinnesdaten haben würde. Es ist eine Tatsache, daß verschiedene Leute ähnliche Sinnesdaten haben, und daß ein und dieselbe Person an einem bestimmten Ort zu verschiedenen Zeiten ähnliche Sinnesdaten hat, und dies läßt uns vermuten, daß es außer den Sinnesdaten einen dauernden, öffentlichen Gegenstand gibt, der den Sinnesdaten verschiedener Menschen zu verschiedenen Zeiten zugrunde liegt oder sie verursacht.

Insoweit diese Betrachtungen von der Annahme abhängig sind, daß es außer uns noch andere Menschen gibt, setzen sie das zu Beweisende natürlich schon voraus. Andere Menschen sind mir durch Sinnesdaten wie ihren Anblick oder den Klang ihrer Stimme gegeben, und wenn ich nicht mit Grund annehmen dürfte, daß es von meinen Sinnesdaten unabhängige materielle Gegenstände gibt, hätte ich auch keinen Grund zu glauben, daß es andere Menschen gibt – außer in meinen Träumen. Wenn wir zu zeigen versuchen, daß es von unseren Sinnesdaten unabhängige Gegenstände geben muß, können wir uns daher nicht auf das Zeugnis anderer Leute berufen, weil dieses Zeugnis selbst aus Sinnesdaten besteht und die Erlebnisse anderer Leute nur vermitteln kann, wenn unsere eigenen Sinnesdaten Zeichen für Dinge sind, die unabhängig von uns existieren. Wir müssen deshalb – wenn das möglich ist – an unseren eigenen, ganz privaten Erlebnissen Merkmale finden, die beweisen oder wenigstens darauf hindeuten, daß es auf der Welt außer uns selbst und unseren privaten Erlebnissen noch andere Dinge gibt.

Wir müssen zugeben, daß wir die Existenz dieser anderen Dinge niemals strikt *beweisen* können. Aus der Annahme, daß die Welt nur aus mir selber, aus meinen Gedanken, Gefühlen und Empfindungen besteht, und daß alles andere bloße Einbildung ist, folgt kein logischer Widerspruch. Wenn man träumt, kann man eine sehr komplexe Welt gegenwärtig haben und findet trotzdem beim Aufwachen, daß alles Täuschung war, d. h. man findet, daß die Sinnesdaten im Traum nicht solchen materiellen Gegenständen entsprachen, auf deren Anwesenheit wir normalerweise geschlossen hätten. (Wenn man die materielle Welt voraussetzt, kann man allerdings materielle Ursachen für die Sinnesdaten der Träume finden: z. B. kann uns eine zugeschlagene Tür dazu bringen, von einer Seeschlacht zu träumen. Aber obwohl es hier eine materielle *Ursache* für die Sinnesdaten gibt, gibt es doch keinen materiellen Gegenstand, der ihnen *korrespondiert,* wie es bei einer wirklichen Seeschlacht der Fall wäre.) Die Annahme, daß das ganze Leben ein Traum sei, in dem wir uns selber alle unsere Gegenstände schaffen, ist logisch nicht unmöglich. Aber es spricht auch nicht das mindeste dafür, daß diese Annahme wahr wäre, und wenn man sie als ein Mittel betrachtet, die Tatsachen unseres Alltagslebens zu erklären, ist dies eine weit weniger einfache Hypothese als die gewöhnliche Annahme, daß es wirklich Gegenstände gibt, die von uns unabhängig sind und die in uns Empfindungen hervorrufen.

Wie durch die Annahme wirklicher materieller Gegenstände alles einfacher wird, kann man leicht sehen. Wenn meine Katze jetzt an einer Stelle des Zimmers erscheint und ich sie im nächsten Augenblick an einer anderen Stelle sehe, nehme ich natürlich an, daß sie sich von der einen zur anderen Stelle bewegt und dabei jeden einzelnen Punkt des Weges passiert hat. Wenn sie aber nur aus einer Menge von Sinnesdaten besteht, kann sie niemals an einem Ort gewesen sein, wo ich sie nicht gesehen habe; ich muß deshalb annehmen, daß sie überhaupt nicht existiert hat, während ich sie nicht sah, sondern an der einen Stelle verschwunden und an der anderen plötzlich wieder aufgetaucht ist. Wenn die Katze existiert, ob ich sie sehe oder nicht, kann ich ihr aus eigener Erfahrung nachfühlen, wie sie zwischen einer Mahlzeit und der nächsten wieder hungrig wird; aber wenn sie nicht existiert, während ich sie nicht sehe, erscheint es merkwürdig, daß ihr Appetit während ihrer Nichtexistenz ebenso rasch zunimmt wie während ihrer Existenz. Und wenn die Katze nur aus Sinnesdaten besteht, kann sie ja gar nicht *hungrig* sein, weil mir kein Hunger außer meinem eigenen als Sinnesdatum gegeben sein kann. Das Verhalten der Sinnesdaten, die für mich die Katze darstellen, scheint ganz natürlich zu sein, wenn man es als Ausdruck des Hungers auffaßt, wird aber vollkommen unerklärlich, wenn man es als bloße Bewegung und Veränderung von Farbflecken betrachtet, die ebensowenig Hunger haben können wie ein Dreieck Fußball spielen kann.

Aber die Schwierigkeiten im Falle der Katze sind garnichts im Vergleich mit den Schwierigkeiten, die sich bei der Beobachtung menschlicher Wesen ergeben. Wenn Menschen sprechen, d. h. wenn wir bestimmte Geräusche hören, die wir mit Vorstellungen verbinden, und gleichzeitig Lippenbewegungen und Gesichtsausdrücke sehen, ist es sehr schwer zu glauben, daß das, was wir hören, nicht der Ausdruck von Gedanken sei – was ja der Fall wäre, wenn wir dieselben Geräusche hervorbrächten. Natürlich passieren ähnliche Dinge in unseren Träumen, wenn wir uns hinsichtlich der Anwesenheit anderer Leute täuschen. Aber Träume werden mehr oder weniger durch das, was wir unser waches Leben nennen, hervorgerufen, und man kann sie mehr oder weniger durch wissenschaftliche Prinzipien erklären, wenn wir annehmen, daß es wirklich eine materielle Welt gibt. So drängen uns alle Prinzipien der Einfachheit dazu, den natürlichen Standpunkt einzunehmen, daß es wirklich Gegenstände außer uns gibt, deren Existenz nicht davon abhängt, daß wir sie wahrnehmen.

Selbstverständlich werden wir ursprünglich nicht durch Argumente dazu gebracht, an die Existenz einer unabhängigen Außenwelt zu glauben. Wir finden diesen Glauben in uns vor, sobald wir zu reflektieren beginnen: man könnte ihn als eine *instinktive* Überzeugung bezeichnen. Wir wären niemals darauf gekommen, an dieser Überzeugung zu zweifeln, wenn es nicht – wenigstens beim Sehen – so schiene, als ob man instinktiv das Sinnesdatum selbst für den unabhängigen Gegenstand hielte, wogegen unsere Argumente zeigen, daß der Gegenstand nicht mit dem Sinnesdatum identisch sein kann.

Diese Entdeckung – die uns im Fall von Geschmacks-, Geruchssinn und Gehör überhaupt nicht und im Fall des Tastsinns nur wenig überrascht – vermindert jedoch nicht unsere instinktive Überzeugung, daß es Gegenstände gibt, die unseren Sinnesdaten korrespondieren. Da diese Überzeugung uns nicht in Schwierigkeiten bringt, sondern im Gegenteil die Erklärung unserer Erlebnisse vereinfacht und systematisiert, scheint es nicht vernünftig, ihr zu widersprechen. Nehmen wir also an – wenn auch mit einem leichten Zweifel, der seinen Ursprung in unseren Träumen hat –, daß es die Außenwelt wirklich gibt, ohne daß sie deshalb ununterbrochen von jemandem wahrgenommen werden müßte.

Das Argument, das uns zu dieser Folgerung geführt hat, ist ohne Zweifel weniger stark als wir wünschen möchten, aber es ist ein typisch philosophisches Argument; und deshalb ist es der Mühe wert, seine allgemeinen Eigenschaften und seine Überzeugungskraft noch einmal kurz zu betrachten. Alle Erkenntnis, so haben wir gefunden, muß auf unseren instinktiven Überzeugungen aufbauen, und wenn man diese verwirft, bleibt einfach nichts übrig. Unter unseren instinktiven Überzeugungen sind jedoch einige stärker als andere, während viele durch Gewohnheit und Assoziation mit anderen Überzeugungen vermischt worden sind, die nicht wirklich instinktiv sind, sondern nur fälschlicherweise dafür gehalten werden.

Die Philosophie sollte uns unsere instinktiven Überzeugungen in reinlicher Abstufung und unvermischt vor Augen führen; sie sollte mit den stärksten dieser Überzeugungen beginnen und mit aller Sorgfalt zeigen, daß sie bei richtiger Formulierung einander nicht widersprechen, sondern ein harmonisches System bilden. Man kann eine instinktive Überzeugung nur dann verwerfen, wenn sie anderen instinktiven Überzeugungen widerspricht. Stellt sich aber eine Übereinstimmung unter diesen Überzeugungen heraus, wird dadurch die Glaubwürdigkeit des ganzen Systems bekräftigt.
Es ist natürlich *möglich*, daß alle oder einige unserer Überzeugungen irrig sind, und deshalb sollte man alles, was man glaubt, mit einer Prise Zweifel würzen. Aber der einzige *Grund*, aus dem wir eine Überzeugung verwerfen können, kann nur eine andere Überzeugung sein. Wenn wir unsere instinktiven Überzeugungen organisieren und überlegen, welche von ihnen wir – falls sich das als notwendig herausstellen sollte – am ehesten modifizieren oder aufgeben dürfen, können wir – indem wir nur das, was wir instinktiv glauben, als gegeben annehmen – zu einer systematischen Ordnung unseres Wissens kommen, die die *Möglichkeit* des Irrtums zwar noch in sich enthält, seine Wahrscheinlichkeit aber durch die wechselseitige Verbundenheit der Teile des Systems und ihre genaue kritische Überprüfung vermindert.
Wenigstens diese Aufgabe kann die Philosophie erfüllen. Die meisten Philosophen glauben – mit Recht oder mit Unrecht –, daß die Philosophie noch viel mehr tun kann – daß sie uns anderweitig nicht zugängliches Wissen über die Welt als Ganzes oder die Natur des letztlich Wirklichen vermitteln kann. Mag dem so sein oder nicht, die bescheidenere Aufgabe, von der wir gesprochen haben, kann die Philosophie sicherlich erfüllen, und wenn jemand erst einmal begonnen hat, an der Zulänglichkeit des »gesunden Menschenverstandes« zu zweifeln, wird ihm diese Fähigkeit schon Rechtfertigung genug für die harte und schwierige Arbeit sein, die die Beschäftigung mit philosophischen Problemen mit sich bringt.

3 Die Natur der Materie

Im vorausgegangenen Kapitel haben wir uns geeinigt, daß es vernünftig ist, auch ohne schlüssigen Beweis zu glauben, daß unsere Sinnesdaten – z. B. eben die, die wir als zu meinem Tisch gehörend betrachten – wirklich Zeichen für die Existenz von Dingen sind, die von uns und unseren Wahrnehmungen unabhängig sind. Das soll heißen, daß wir neben den Empfindungen von Farbe, Härte, Geräusch etc., die für mich die Erscheinung des Tisches ausmachen, noch etwas anderes annehmen, *wovon* diese Dinge Erscheinungen sind. Die Farbe verschwindet, wenn ich meine Augen schließe; die Härteempfindung hört auf zu existieren, wenn mein Arm den Tisch nicht mehr berührt, und es gibt kein Geräusch mehr, wenn ich aufhöre, mit meinen Knöcheln auf den Tisch zu klopfen. Aber ich glaube nicht, daß damit auch der Tisch verschwindet. Ich bin im Gegenteil davon überzeugt, daß alle diese Sinnesdaten wieder erscheinen werden, wenn ich die Augen aufmache, meinen Arm wieder auf den Tisch lege und mit den Knöcheln zu klopfen beginne, *weil* der Tisch ununterbrochen existiert. Die Frage, die wir uns in diesem Kapitel zu stellen haben, lautet: Was ist dieser wirkliche Tisch, der unabhängig von meiner Wahrnehmung existiert?

Auf diese Frage gibt die Physik Antwort. Man muß zugeben: eine etwas unvollständige und zum Teil noch recht hypothetische Antwort, aber immerhin verdient sie unsere Beachtung. Die Physik hat mehr oder weniger unbewußt zu der Ansicht geführt, daß alle Naturphänomene auf Bewegungen zurückgeführt werden müssen. Licht, Wärme und Schall werden durch Schwingungen verursacht, die sich von einem Körper ausbreiten, bis sie eine Person erreichen, die das Licht sieht, die Wärme fühlt oder den Schall hört. Was schwingt, ist entweder der Äther oder »grobe Materie«, auf alle Fälle etwas, das die Philosophen »Materie« zu nennen pflegen.

Die Wissenschaft schreibt der Materie nur zwei Eigenschaften zu: Räumlichkeit, d. h. die Fähigkeit, Orte im Raum einzunehmen, und die Fähigkeit, sich entsprechend den Gesetzen der Dynamik zu bewegen. Sie leugnet nicht, daß die Materie andere Eigenschaften haben kann, aber wenn das der Fall sein sollte, sind diese Eigenschaften für den Wissenschaftler nicht von Nutzen und helfen ihm auf keine Weise, die Phänomene zu erklären.

Man sagt manchmal »Licht *ist* eine Wellenbewegung bzw. Schwingung«, aber das ist eine irreführende Ausdrucksweise. Das Licht, das wir unmittelbar sehen, das wir vermittels unserer Sinne kennen, ist *nicht* eine Art von Wellenbewegung, sondern etwas ganz anderes – etwas, das wir alle kennen, wenn wir nicht blind sind, obgleich wir es nicht so beschreiben können, daß wir einem Blinden unser Wissen mitteilen könnten. Eine Wellenbewegung hingegen könnte man einem Blinden durchaus beschreiben, weil er den Raum durch seinen Tastsinn kennenlernen kann, und außerdem würde er auf einer Seereise die Wellenbewegung fast ebenso erleben wie wir. Aber was ein Blinder verstehen kann, ist nicht das, was wir mit *»Licht«* meinen: Licht ist für uns genau das, was ein Blinder niemals verstehen kann, und was wir ihm auch nicht beschreiben können.

Nun sagt die Wissenschaft, daß es dieses Licht, das wir alle kennen, wenn wir nicht blind sind, nicht wirklich in der Außenwelt gibt: es ist etwas, das durch die Einwirkung gewisser Schwingungen auf die Augen, die Nerven und das Gehirn der Person, die Licht sieht, hervorgerufen wird. Wenn man sagt, daß Licht eine Wellenbewegung *ist*, meint man in Wirklichkeit, daß Lichtwellen die physikalische Ursache unserer Lichtempfindungen sind. Das Licht selbst jedoch, das alle sehenden Menschen erleben und die blinden nicht, gehört nach Ansicht der Wissenschaft nicht zu der Welt, die von uns und unseren Sinnen unabhängig ist. Ähnliche Bemerkungen ließen sich auch über unsere anderen Empfindungen machen.

Nicht nur Farben und Geräusche haben keinen Platz in der materiellen Welt der Wissenschaft, auch der Raum, den wir durch unseren Gesichts- und Tastsinn erfahren, gehört nicht zu ihr. Es ist wesentlich für die Wissenschaft, daß die von ihr angenommene Materie sich in einem Raum befindet; aber dieser Raum kann nicht genau derselbe sein, den wir sehen oder fühlen. Schon der Raum, den wir sehen, ist nicht derselbe wie der, der uns durch den Tastsinn zugänglich wird; es ist erst die Erfahrung im Kindesalter, die uns lehrt, wie wir Dinge berühren können, die wir sehen, oder wie wir Dinge zu Gesicht bekommen können, deren Berührung wir fühlen. Der Raum der Wissenschaft ist gegenüber beiden Sinnen neutral, daher kann er weder mit dem Tastraum noch mit dem sichtbaren Raum identisch sein.

Außerdem sieht ja derselbe Gegenstand für verschiedene Menschen verschieden aus, das hängt von dem Gesichtswinkel ab, unter dem sie ihn betrachten. So *urteilen* wir zwar immer, daß eine runde Münze rund ist, aber sie wird in den meisten Fällen in unserem Gesichtsfeld elliptisch *erscheinen*. Wenn wir urteilen, daß die Münze rund *ist*, behaupten wir, daß sie eine wirkliche Form hat, die nicht ihrer erscheinenden Form entspricht, sondern die ihr selbst, unabhängig von ihren Erscheinungen, zuzuschreiben ist. Der Wissenschaft geht es um diese wirkliche Form, und sie muß sich in einem wirklichen Raum befinden, der nicht mit einem irgend jemanden erscheinenden Raum identisch ist. Der wirkliche Raum ist allgemein zugänglich, der erscheinende ist gleichsam Privatbesitz des Wahrnehmenden. In diesen *privaten* Räumen verschiedener Menschen scheint derselbe Gegenstand verschiedene Formen zu haben, und daher muß der wirkliche Raum, in dem der Gegenstand seine wirkliche Form hat, von allen privaten Räumen verschieden sein. Der Raum der Wissenschaft hängt zwar mit den Räumen, die wir sehen und fühlen, irgendwie zusammen, aber er ist mit keinem von ihnen identisch, und wir müssen jetzt genauer untersuchen, welche Art von Zusammenhang hier besteht.

Wir waren zu der provisorischen Übereinkunft gekommen, daß die materiellen Gegenstände unseren Sinnesdaten nicht ganz gleichen können, daß wir sie aber als *Ursache* unserer Empfindungen betrachten dürfen. Diese materiellen oder »physikalischen« Gegenstände* befinden sich im Raum der Wissen-

* Wenn hier und im folgenden von »physikalischen Gegenständen« und vom »physikalischen Raum« die Rede ist, wird man sich daran erinnern müssen, daß diese Ausdrücke nicht etwa durch die Physik legitimiert sind, sondern durch Russells These, daß die Physik – und zwar die ›klassische‹ Physik um 1900 – die Antwort auf die Frage »Was ist der wirkliche Tisch?« gebe. *(Anm. d. Üb.)*

schaft, den wir »physikalischen« Raum nennen wollen. Es ist wichtig zu bemerken, daß – wenn unsere Empfindungen durch physikalische Gegenstände verursacht sein sollen – es einen physikalischen Raum geben muß, der außer diesen Gegenständen auch unsere Sinnesorgane, unsere Nerven und unser Gehirn enthält. Wir haben eine Tastempfindung von einem Gegenstand, wenn wir ihn berühren, d. h., wenn ein Teil unseres Körpers einen Ort im physikalischen Raum einnimmt, der dem Ort des Gegenstands benachbart ist. Wir sehen einen Gegenstand dann, wenn sich im physikalischen Raum kein undurchsichtiger Körper zwischen dem Gegenstand und unseren Augen befindet – um es etwas ungenau auszudrücken. Entsprechend hören, riechen oder schmecken wir einen Gegenstand nur dann, wenn wir ihm ausreichend nahe sind, wenn er die Zunge berührt oder im physikalischen Raum einen in Beziehung auf unseren Körper geeigneten Ort einnimmt. Wir können überhaupt nicht feststellen, welche Empfindungen ein bestimmter Körper unter verschiedenen Bedingungen bei uns verursachen wird, wenn wir nicht annehmen, daß sich der Gegenstand und unser Körper in einem gemeinsamen physikalischen Raum befinden, denn es sind in der Hauptsache die räumlichen Beziehungen zwischen dem Gegenstand und unserem Körper, die bestimmen, welche Empfindungen der Gegenstand bei uns auslöst.

Nun befinden sich aber unsere Sinnesdaten in unseren »Privaträumen«, entweder im Sehraum oder im Tastraum, oder in jenen verschwommeneren Raumgebilden, die es für die übrigen Sinne geben mag. Wenn es – wie die Wissenschaft und der gesunde Menschenverstand annehmen – einen allgemein zugänglichen und allesumfassenden physikalischen Raum gibt, in dem sich die materiellen oder physikalischen Gegenstände befinden, dann müssen die räumlichen Beziehungen der physikalischen Gegenstände im physikalischen Raum den räumlichen Beziehungen der Sinnesdaten in unseren Privaträumen mehr oder weniger entsprechen. Diese Annahme kann man ohne Schwierigkeit machen. Wenn wir eine Straße entlangsehen und uns ein Haus näher erscheint als ein anderes, werden uns auch unsere anderen Sinne diesen Umstand bestätigen. Wir werden z. B. das näher erscheinende Haus auch eher erreichen, wenn wir die Straße entlanggehen. Andere Leute werden mit unserem Urteil, welches Haus weniger weit entfernt ist, übereinstimmen; ein Meßtischblatt wird unsere Annahme bestätigen; und so deutet alles darauf hin, daß es eine räumliche Beziehung zwischen den Häusern gibt, die der Beziehung zwischen den Sinnesdaten, die wir beim Anblick der Häuser haben, entspricht. Wir dürfen daher unterstellen, daß es einen physikalischen Raum gibt, in dem die Gegenstände räumliche Beziehungen haben, die den räumlichen Beziehungen der entsprechenden Sinnesdaten in unseren Privaträumen korrespondieren. Dieser physikalische Raum ist der Raum, mit dem sich die Geometrie beschäftigt und der von der Physik und der Astronomie vorausgesetzt wird.

Angenommen also, daß es den physikalischen Raum gibt, und daß er unseren Privaträumen auf die beschriebene Weise korrespondiert, was können wir über ihn wissen? Wir können *nur das* wissen, was erforderlich ist, um die entsprechenden Zuordnungen herzustellen. Das heißt, wir können auf keine Weise wissen, wie dieser Raum an sich beschaffen ist; aber wir können erkennen, welche Anordnungen von Gegenständen sich aus ihren wechselseitigen räumlichen Beziehungen ergeben. Wir können z. B. wissen, daß bei einer Sonnenfinsternis Erde, Mond und Sonne auf einer Geraden liegen, obgleich wir nicht wissen, was eine Gerade im physikalischen Raum ist; sie ist uns nicht auf dieselbe Weise bekannt wie eine gerade Linie in unserem Blickfeld. Wir erfahren daher über die *Beziehungen* von Strecken im physikalischen Raum viel mehr als über die Strecken selbst; wir können wissen, daß eine Strecke größer ist als eine andere, oder daß sie auf derselben Geraden liegt wie eine andere, aber wir können nicht eine so unmittelbare Bekanntschaft mit physikalischen Strecken haben, wie wir sie mit Abständen in unseren Privaträumen, mit Farben, Geräuschen oder anderen Sinnesdaten haben. Wir können über den physikalischen Raum nur die Art von Kenntnissen erwerben, die einem Blinden von anderen Menschen über den sichtbaren Raum vermittelt werden könnten; aber die Art von Kenntnis, die ein von Geburt an Blinder nicht vom Raum der Sehenden haben kann, können wir auch vom physikalischen Raum nicht haben. Wir können die Eigenschaften der Beziehungen erkennen, die notwendig sind, um die Korrespondenz mit unseren Sinnesdaten aufrechtzuerhalten; aber wir können das Wesen der Dinge, zwischen denen diese Beziehungen bestehen, nicht erkennen.

Nun zur Zeit: Unser *Zeitgefühl* ist notorisch unzuverlässig und führt unsere Vermutungen über den Stand der Uhr gern in die Irre. Wenn wir gelangweilt sind oder Schmerzen leiden, vergeht die Zeit langsam, bei angenehmen Beschäftigungen vergeht sie uns schnell, und im Schlaf ist sie vorüber, fast als hätte es sie nie gegeben. Insoweit Zeit durch Dauer konstituiert wird, besteht daher dieselbe Notwendigkeit, zwischen einer allgemein meßbaren, »öffentlichen« und einer Privatzeit zu unterscheiden wie im Fall des Raumes. Aber insoweit Zeit als eine Ordnung des Vorher und Nachher besteht, braucht man diese Unterscheidung nicht zu machen; die zeitliche Reihenfolge, in der Ereignisse erscheinen, entspricht – soweit wir sehen können – genau ihrer tatsächlichen Reihenfolge. Jedenfalls spricht nichts für die Annahme, daß diese beiden Folgen nicht identisch wären. Das gilt gewöhnlich auch für den Raum: Wenn ein Regiment eine Straße entlangmarschiert, wird sich seine Erscheinung insgesamt, seine *Gestalt*, mit dem Standpunkt des Betrachters verändern, aber die *Anordnung* der Soldaten wird von jedem Standpunkt aus gleich erscheinen. Daher betrachten wir diese Ordnung auch als zum physikalischen Raum gehörig, während wir für die Gestalt nur solche Entsprechungen im physikalischen Raum annehmen, die für die Erhaltung der Ordnung notwendig sind.

Wenn man sagt, daß die zeitliche Ordnung, die die Ereignisse *zu haben scheinen*, mit ihrer *wirklichen* zeitlichen Ordnung identisch ist, muß man zugleich einem möglichen Mißverständnis vorbeugen. Man sollte nicht annehmen, daß die verschiedenen Zustände verschiedener physikalischer Gegenstände dieselbe zeitliche Ordnung besitzen wie die Sinnesdaten, die unsere Wahrnehmung dieser Gegenstände konstituieren. Als physikalische Gegenstände sind Donner und Blitz gleichzeitig; d. h. der Blitz ist gleichzeitig mit der atmosphärischen Schockwelle an dem Ort, von dem sie ihren Ausgang nimmt, nämlich dort, wo der Blitz ist. Aber das Sinnesdatum, das wir Hören des Donners nennen, findet nicht statt, bevor die Schockwelle zu dem Ort gekommen ist, wo wir uns befinden. Ebenso braucht das Sonnenlicht etwa acht Minuten, um uns zu erreichen; wenn wir die Sonne sehen, sehen wir also eine Sonne, die es vor acht Minuten gab. Was wir durch unsere Sinnesdaten über die materielle Sonne erfahren, betrifft immer eine schon acht Minuten alte Sonne; hätte sie während der letzten acht Minuten aufgehört zu existieren, hätten wir jetzt doch immer noch die Art von Sinnesdaten, die wir »Sehen der Sonne« nennen. Dies Beispiel illustriert uns noch einmal die Notwendigkeit, zwischen Sinnesdaten und materiellen bzw. physikalischen Gegenständen zu unterscheiden.

Was wir über die Beziehung zwischen Sinnesdaten und ihren materiellen Gegenständen festzustellen haben, entspricht ganz dem, was wir über den Raum herausgefunden haben. Wenn ein Gegenstand blau aussieht und ein anderer rot, dürfen wir vernünftigerweise annehmen, daß es einen entsprechenden Unterschied zwischen den physikalischen Gegenständen gibt; wenn beide Gegenstände blau aussehen, dürfen wir eine entsprechende Ähnlichkeit annehmen. Aber wir können nicht auf eine unmittelbare Bekanntschaft mit der Eigenschaft des Gegenstands hoffen, die ihn blau oder rot erscheinen läßt. Die Wissenschaft sagt uns, daß es sich dabei um eine bestimmte Art von Wellenbewegung handelt, und das klingt vertraut, weil wir gleich an sichtbare Wellenbewegungen denken. Aber diese Wellenbewegungen müssen ja in Wirklichkeit im physikalischen Raum stattfinden, der uns nicht unmittelbar bekannt ist, und die wirklichen Wellenbewegungen sind uns also doch nicht so vertraut, wie man hätte vermuten können. Und was für die Farben gilt, gilt entsprechend auch für die übrigen Sinnesdaten. Wir kommen also zu dem Schluß, daß zwar die *Beziehungen* zwischen physikalischen Gegenständen alle Arten von erkennbaren Eigenschaften haben, die aus ihren Entsprechungen zu den Beziehungen zwischen Sinnesdaten ableitbar sind, daß aber das innere Wesen der physikalischen Gegenstände selbst unerkannt bleibt, jedenfalls bei allem, was wir mit Hilfe unserer Sinne ausmachen können. Es bleibt die Frage, ob es noch eine andere Methode gibt, das innere Wesen der Gegenstände zu entdecken.

Die allernatürlichste – wenn auch auf die Dauer nicht am leichtesten zu vertretende – Annahme, die man zunächst – wenigstens für visuelle Sinnesdaten – machen möchte, würde lauten: zwar können physikalische Gegenstände aus den aufgeführten Gründen den Sinnesdaten nicht *genau* gleichen, aber sie könnten ihnen doch mehr oder weniger ähneln. Nach dieser Ansicht haben Gegenstände z. B. wirklich Farben, und mit etwas Glück könnten wir einen Gegenstand in der Farbe erblicken, die ihm wirklich zukommt. Die Farben, die ein Gegenstand in einem bestimmten Augenblick von verschiedenen Blickpunkten aus zu haben scheint, werden meist einander sehr ähnlich sein, wenn es sich auch nicht um ein und dieselbe Farbe handelt. Man könnte also annehmen, daß die »wirkliche« Farbe eine Art mittlerer Farbton sei, der gleichmäßig zwischen all den von verschiedenen Blickpunkten aus erscheinenden Farbnuancen liegt.

Eine solche Theorie läßt sich vielleicht nicht definitiv widerlegen, aber man kann zeigen, daß sie unbegründet ist. Zunächst einmal ist klar, daß die Farbe, die wir sehen, nur von der Beschaffenheit der Lichtwellen abhängig ist, die aufs Auge treffen, und daß sie daher von dem zwischen uns und dem Gegenstand befindlichen Medium ebenso modifiziert wird wie durch die Art, in der der Gegenstand das Licht in Richtung unserer Augen reflektiert. Die Luft ändert alle Farben, ganz klare Tage ausgenommen, und auch starke Reflexion verändert sie völlig. Die Farbe, die wir sehen, hängt also von der Beschaffenheit des Lichtstrahls in dem Augenblick ab, in dem er auf unser Auge trifft, und ist nicht einfach eine Eigenschaft des Gegenstands, von dem der Lichtstrahl herkommt. Wir werden daher, wenn bestimmte Lichtwellen unser Auge erreichen, auch eine bestimmte Farbe sehen, ganz gleich ob der Gegenstand, von dem die Wellen ausgehen, nun überhaupt eine Farbe hat oder nicht. Es ist also ganz überflüssig zu unterstellen, daß physikalische Gegenstände Farben hätten, und eben darum gibt es keine Rechtfertigung für diese Annahme. Genau entsprechende Argumente lassen sich auf die übrigen Sinnesdaten anwenden.

Und so bleibt denn noch die Frage, ob es allgemeine philosophische Argumente gibt, die uns in die Lage versetzen zu sagen, daß – wenn Materie wirklich ist – sie wesentlich so-und-so beschaffen sein *muß*. Wie wir schon früher ausgeführt haben, waren sehr viele Philosophen – vielleicht die meisten – der Ansicht, daß alles Wirkliche in irgendeinem Sinne »geistig« sein müsse, oder daß zumindest doch alles, über das wir etwas wissen können, in irgendeinem Sinne geistiger Natur sei. Solche Philosophen nennt man »Idealisten«. Idealisten behaupten, daß alles, was als Materie erscheint, in Wirklichkeit etwas Geistiges sei, nämlich entweder (so Leibniz) mehr oder weniger rudimentär bewußte Wesen, oder (so Berkeley) Ideen im Bewußtsein, die die Materie – wie wir es für gewöhnlich ausdrücken würden – »wahrnehmen«. Die Idealisten leugnen also, daß die Materie als etwas vom Bewußtsein wesentlich Verschiedenes existiert, obgleich sie nicht leugnen, daß unsere Sinnesdaten Zeichen von etwas sind, das unabhängig von unseren subjektiven Empfindungen existiert. Im folgenden Kapitel werden wir kurz die – meiner Meinung nach fehlerhaften – Argumente betrachten, mit denen die Idealisten ihre Theorie glaubhaft zu machen versuchen.

4 Der Idealismus

Das Wort »Idealismus« wird von verschiedenen Philosophen unterschiedlich gebraucht. Wir wollen darunter die Lehre verstehen, daß alles, was existiert, oder doch wenigstens alles, von dem wir wissen können, daß es existiert, in irgendeinem Sinne »geistig«, bewußtseinsähnlich (mental) sein müsse. Diese Lehre, die unter Philosophen zahlreiche Anhänger hat, gibt es in verschiedenen Formen, und sie wird aus unterschiedlichen Gründen vertreten. Sie ist so verbreitet und an sich so interessant, daß man sich mit ihr beschäftigen muß.

Wer nicht an philosophische Spekulationen gewöhnt ist, könnte meinen, mit einem solchen Unsinn brauche man sich nicht weiter abzugeben. Ganz ohne Zweifel sind für den gesunden Menschenverstand Tische und Stühle, Sonne und Mond, materielle Gegenstände überhaupt etwas vom Bewußtsein und seinen Inhalten radikal Verschiedenes, das fortdauern würde, auch wenn es nirgendwo ein Bewußtsein mehr gäbe. Wir glauben, daß es Materie gegeben hat, lange bevor es irgendwo Bewußtsein gab, und man kann sie sich schwer als ein bloßes Produkt geistiger Tätigkeit vorstellen. Aber ob wahr oder falsch, der Idealismus kann doch nicht ganz so einfach als Absurdität abgetan werden.

Wir haben gesehen, daß selbst wenn es Dinge gibt, die vom Bewußtsein unabhängig existieren, diese doch sehr verschieden von Sinnesdaten sein müssen und ihnen nur *zugeordnet* werden können, ungefähr so, wie die Eintragungen in einem Katalog den katalogisierten Dingen zugeordnet sind. Unser Hausverstand läßt uns daher über das eigentliche Wesen der materiellen Dinge vollkommen im dunkeln, und wenn es gute Gründe gäbe, sie für geistig zu halten, dürften wir diese Ansicht nicht bloß deshalb verwerfen, weil sie uns merkwürdig vorkommt. Die Wahrheit über die materiellen Dinge *muß* merkwürdig sein. *Vielleicht* ist sie für uns unerreichbar; aber wenn ein Philosoph glaubt, er hätte sie gefunden, darf uns die Merkwürdigkeit dessen, was er da als Wahrheit vorträgt, nicht gleich dazu verleiten, seiner Ansicht zu widersprechen.

Die Gründe, die für den Idealismus ins Feld geführt werden, entstammen in der Regel der Erkenntnistheorie, d. h. der Erörterung der Bedingungen, denen etwas genügen muß, um durch uns erkannt werden zu können. Der erste ernsthafte Versuch, einen erkenntnistheoretisch begründeten Idealismus aufzubauen, war der von Bischof Berkeley. Er bewies zunächst – durch Argumente, die im wesentlichen schlüssig sind –, daß man nicht annehmen darf, unsere Sinnesdaten existierten unabhängig von uns, sondern daß sie – zum Teil wenigstens – »im« Bewußtsein sein müssen, in dem Sinne, daß es sie nicht geben würde, wenn es kein Sehen, Hören, Berühren, Riechen oder Schmecken gäbe. Bis zu diesem Punkt ist seine These wohl überzeugend, selbst wenn einige seiner Argumente es nicht mehr sind. Aber er behauptete darüber hinaus, daß Sinnesdaten die einzigen Dinge wären, von deren Existenz wir uns durch Wahrnehmung überzeugen könnten, daß »erkannt werden« soviel wie »gewußt werden« und »*in* einem Bewußtsein sein«, d. h. aber etwas Geistiges sei. Er schloß daraus, daß nichts jemals erkannt werden kann, was nicht in einem Bewußtsein ist, und daß alles, was erkannt und nicht in meinem Bewußtsein ist, in einem anderen Bewußtsein sein muß.

Um seinen Gedankengang zu begreifen, muß man seinen Gebrauch des Wortes »Vorstellung« (idea) verstehen. Berkeley nennt alles Vorstellung bzw. »idea«, was uns *unmittelbar* bekannt ist, wie z. B. die Sinnesdaten. Eine bestimmte Farbe, die wir sehen, ist eine Vorstellung, auch eine Stimme, die wir hören, und so fort. Aber der Ausdruck wird nicht nur für Sinnesdaten gebraucht. Es gibt auch Dinge, an die wir uns erinnern, oder Bilder, die unserer Phantasie entstammen; auch sie sind Vorstellungen, denn auch sie sind uns im Augenblick des Erinnerns oder Imaginierens unmittelbar bekannt. Alle unmittelbaren Gegebenheiten sind »Vorstellungen«. Berkeley geht nun dazu über, Alltagsgegenstände, etwa einen Baum, zu betrachten. Er zeigt, daß alles, was wir unmittelbar erkennen, wenn wir den Baum »wahrnehmen«, aus Vorstellungen in seinem Sinne des Worts besteht, und er behauptet, daß es nicht den geringsten Grund für die Annahme gibt, daß noch irgend etwas außer dem von uns Wahrgenommenen an dem Baum wirklich sei. Sein Sein, sagt er, besteht in seinem Wahrgenommenwerden; im scholastischen Latein: sein »esse« ist »percipi«. Er gibt durchaus zu, daß der Baum auch existiert, wenn wir die Augen schließen, oder wenn überhaupt kein menschliches Wesen in seiner Nähe ist. Aber diese Beständigkeit des Baumes, so sagt er, beruht darauf, daß Gott ihn beständig wahrnimmt; der »wirkliche« Baum, der unserem materiellen bzw. physikalischen Gegenstand entspricht, besteht aus Vorstellungen im Geiste (d. h. hier: im Bewußtsein) Gottes, Vorstellungen, die den unseren mehr oder weniger ähneln, sich aber darin von ihnen unterscheiden, daß sie im Geiste Gottes beständig sind, solange der Baum existiert. Alle unsere Wahrnehmungen bestehen nach ihm in einer unvollständigen Teilhabe an den Wahrnehmungen Gottes, und eben wegen dieser Teilhabe sehen verschiedene Menschen mehr oder weniger denselben Baum. Die Welt enthält nichts außer Bewußtsein und Vorstellungen; und es ist auch nicht möglich, daß jemals irgend etwas anderes entdeckt werden könnte; denn was entdeckt wird, wird erkannt, und was erkannt wird, ist notwendigerweise eine Vorstellung.

Es gibt in diesem Gedankengang eine Menge Fehler, die in der Geschichte der Philosophie eine große Rolle gespielt haben und die man besser gleich zutage fördert. Zuerst gibt es da eine Verwirrung, die durch den besonderen Gebrauch des Wortes »Vorstellung« hervorgerufen wird. Für uns ist eine Vorstellung etwas, das man sich »im Kopf macht«, das wesentlich *in* einem Bewußtsein ist, und wenn man uns sagt, daß der Baum ganz und gar aus Vorstellungen bestehe, nehmen wir natürlich an, daß der Baum ganz und gar in unserem Bewußtsein sein müsse. Aber die Bezeichnung »im Bewußtsein« ist mißverständlich. Wir sagen z. B., wir hätten »jetzt die ganze Angelegenheit im Kopf«, oder – etwas altertümlich – wir hätten »jemanden im Sinn«. Damit meinen wir natürlich nicht, daß wir die Angelegenheit oder die Person im Kopf hätten, wir meinen Gedanken über diese Angelegenheit oder diese Person. Wenn jemand sagt, daß eine Sache »seinem Gedächtnis entfallen« sei, folgt daraus nicht, daß die Sache selbst jemals in seinem Gedächtnis gewesen ist, sondern nur, daß eine Zeitlang Gedanken über sie in seinem Gedächtnis waren, und daß sie danach verschwunden sind. Wenn Berkeley also sagt, daß der Baum in unserem Bewußtsein sein muß, wenn wir ihn erkennen können, darf er in Wirklichkeit nur behaupten, daß ein Gedanke über den Baum in unserem Bewußtsein sein müsse. Zu sagen, daß der Baum selbst in unserem Bewußtsein sein müsse, wäre das gleiche, als wenn man sagte, eine Person, an die wir uns erinnern, müßte selbst in unserem Gedächtnis anwesend sein. Diese Verwirrung erscheint zu kraß, als daß man sie einem bedeutenden Philosophen zutrauen möchte, und sie wurde auch erst durch eine Reihe von Begleitumständen ermöglicht. Um zu sehen, wie sie möglich wurde, müssen wir gründlicher auf die Frage nach dem Wesen von Vorstellungen eingehen.

Bevor wir aber darauf eingehen, müssen wir die Situation ein wenig entwirren und zunächst zwei Fragen über Sinnesdaten und materielle Gegenstände voneinander unterscheiden. Wir haben gesehen, daß Berkeley aus verschiedenen, von uns im einzelnen erörterten Gründen recht daran getan hat, die Sinnesdaten, die unsere Wahrnehmung des Baumes konstituieren, als mehr oder weniger subjektiv aufzufassen, in dem Sinne, daß sie von uns ebensosehr abhängig sind wie von dem Baum und nicht existieren würden, wenn der Baum nicht wahrgenommen würde. Aber dies ist ein ganz anderer Punkt als der, den Berkeley zu beweisen sucht, nämlich daß alles, was unmittelbar erkannt wird, in einem Bewußtsein sein *muß*. Hierfür sind detaillierte Betrachtungen über die Abhängigkeit der Sinnesdaten von uns nutzlos. Es ist vielmehr notwendig, allgemein zu beweisen, daß eben dadurch, daß sie erkannt werden, die Dinge ihre wesentliche »Geisthaftigkeit« demonstrieren. Genau dies glaubte Berkeley bewiesen zu haben, und es ist diese Frage und nicht die frühere nach dem Unterschied zwischen Sinnesdaten und materiellen Gegenständen, mit der wir uns jetzt beschäftigen müssen.

Wenn wir das Wort »Vorstellung« im Sinne Berkeleys auffassen, müssen wir zwei Momente unterscheiden, die beim »Haben« einer Vorstellung auftreten. Da ist einerseits das, dessen wir uns bewußt sind – sagen wir die Farbe meines Tisches – und andererseits der Bewußtseinsakt selbst, der geistige Akt, in dem wir den Gegenstand erfassen. Der Bewußtseinsakt ist selbstverständlich geistig; aber gibt es irgendeinen

Grund anzunehmen, daß der erfaßte Gegenstand in irgendeinem Sinne geistig sei? Unsere Überlegungen über die Farbe haben nicht bewiesen, daß sie etwas Geistiges ist; sie haben nur bewiesen, daß die Existenz der Farbe von der Beziehung unserer Sinnesorgane zum materiellen Gegenstand – in unserem Falle war das der Tisch – abhängig ist. D. h., sie haben bewiesen, daß eine bestimmte Farbe erscheinen wird, wenn ein normales Auge sich bei einer bestimmten Beleuchtung an einem durch bestimmte Beziehungen zum Tisch festgelegten Punkt befindet. Sie haben nicht bewiesen, daß die Farbe »im Bewußtsein des Wahrnehmenden« ist.

Berkeleys Ansicht, es sei ganz einleuchtend, daß die Farbe im Bewußtsein sein müsse, erscheint nur dann vertretbar, wenn man keinen Unterschied zwischen erfaßtem Gegenstand und dem Akt des Erfassens macht und beides durcheinanderbringt. Jedes dieser beiden Momente könnte man »Vorstellung« nennen, und wahrscheinlich hätte Berkeley das auch getan. Der Akt ist zweifellos »im Bewußtsein«; wenn wir an ihn denken, werden wir der Ansicht, daß Vorstellungen im Bewußtsein sein müssen, gerne zustimmen. Danach vergessen wir dann, daß sich dies nur sagen läßt, wenn man Vorstellungen als Akte des Vorstellens auffaßt, und übertragen den Satz »Vorstellungen sind im Bewußtsein« auf Vorstellungen im anderen Sinne, d. h. auf die Gegenstände unserer Vorstellungsakte. So kommen wir durch eine unbewußte Äquivokation zu dem Schluß, daß alles, was wir bewußtseinsmäßig erfassen können, im Bewußtsein sein muß. Das scheint mir eine zutreffende Diagnose des Berkeleyschen Gedankengangs und des Fehlschlusses, auf dem er letzten Endes beruht, zu sein.

Die Frage nach dem Unterschied zwischen Akt und Gegenstand ist von entscheidender Wichtigkeit, weil sie unser gesamtes Erkenntnisvermögen betrifft. Die Fähigkeit, andere Dinge zu kennen als sich selbst, ist die Haupteigenschaft des Bewußtseins. Bekanntschaft mit Gegenständen besteht wesentlich aus einer Beziehung zwischen dem Bewußtsein und etwas anderem als dem Bewußtsein; diese Beziehung konstituiert die Fähigkeit des Bewußtseins, Dinge zu erkennen. Wenn wir sagen, daß die erkannten Gegenstände im Bewußtsein sein müssen, schränken wir entweder unser Erkenntnisvermögen ganz unzulässig ein oder wir sprechen eine bloße Tautologie aus. Es handelt sich um eine Tautologie, wenn wir mit »*im* Bewußtsein« dasselbe meinen wie mit »*vor* dem Bewußtsein«, d. h. wenn wir bloß sagen, daß das Bewußtsein erfaßt, was es erfaßt. Aber wenn wir das sagen, müssen wir zugeben, daß, was sich *in diesem Sinne* im Bewußtsein befindet, darum nichts Geistiges zu sein braucht. Wenn wir uns so das Wesen der Erkenntnis klarmachen, sehen wir, daß der Berkeleysche Gedankengang inhaltlich ebenso falsch ist wie formal, und daß Berkeleys Argumente für die These, »Vorstellungen« – d. h. vorgestellte Gegenstände – müßten etwas Geistiges sein, überhaupt nicht stichhaltig sind. Also ist alles hinfällig, was Berkeley für den Idealismus vorzubringen hat, und wir müssen uns jetzt nur noch umsehen, ob sich nicht andere Argumente für den Idealismus finden lassen.

Es wird oft gesagt – als ob das eine evidente Wahrheit wäre –, daß wir nicht wissen (know) können, ob etwas existiert, das wir nicht kennen (wieder »know«). Man schließt daraus, daß für uns wenigstens erkennbar sein muß, was immer für unsere Erfahrung relevant werden kann, und folgert, daß – wenn die Materie wesentlich etwas für uns Unerkennbares wäre – sie etwas sein müßte, von dessen Existenz wir nichts wissen und das für uns keinerlei Bedeutung haben könnte. Es wird weiter gefolgert – aus Gründen, die dunkel bleiben –, daß auch nicht wirklich sein könne, was für uns ohne Bedeutung ist, und daß die Materie, wenn sie nicht aus Bewußtsein oder Inhalten des Bewußtseins bestehe, daher unmöglich und eine bloße Schimäre sei.

Wir gehen auf dieses Argument jetzt nicht in allen Einzelheiten ein, weil dabei Fragen aufgeworfen werden müßten, die man nicht ohne umständliche Präliminarien diskutieren kann; aber einige Gegengründe bieten sich doch sofort an. Machen wir mit der letzten Behauptung den Anfang: Es gibt überhaupt keinen Grund, warum etwas, das für uns keine *praktische* Bedeutung haben kann, nicht wirklich sein sollte. Wenn wir auch die *theoretische* Bedeutung einbeziehen, ist es allerdings wahr, daß alles Wirkliche für uns von Bedeutung ist; denn wenn wir die Wahrheit über die Welt wissen wollen, haben wir ein gewisses Interesse an allem, was es in der Welt gibt. Aber wenn auch dieses Interesse zugelassen wird, ist es nicht wahr, daß die Materie für uns keine Bedeutung hat, wenn es sie gibt, und wenn wir nicht wissen können, daß es sie gibt. Wir können doch offenbar vermuten, daß es sie gibt, und fragen, ob es sie gibt; sie steht daher in einem Zusammenhang mit unserem Bedürfnis nach Wissen und hat für uns die Bedeutung, die alles hat, was dieses Bedürfnis befriedigt oder enttäuscht.

Und noch einmal: Es ist keineswegs selbstverständlich, es ist in der Tat sogar falsch, daß wir nicht wissen können, ob etwas existiert, das wir nicht kennen. Das englische Wort »know« wird in dem Satz »We cannot know that anything exists which we do not know« in zwei verschiedenen Bedeutungen gebraucht. (1) In der ersten Bedeutung kann man es auf die Art von Wissen anwenden, die dem Irrtum entgegengesetzt ist, in dem Sinne, daß *wahr* ist, was wir wissen, in dem Sinne also, der unsere Meinungen und Überzeugungen betrifft, d. h. das, was man *Urteile* nennt. In dieser Bedeutung des Wortes »know« wissen wir, *daß* etwas der Fall ist. Man kann diese Art von Wissen als Erkenntnis von *Wahrheiten* beschreiben. (2) In der zweiten Bedeutung, die das Wort in dem zitierten Satze hat, bezieht es sich auf unsere Kenntnis von *Dingen*, die man auch *Bekanntschaft* nennen könnte. In diesem Sinne kennen wir Sinnesdaten. Der Unterschied, um den es geht, entspricht etwa dem zwischen »savoir« und »connaître« im Französischen und »wissen« und »kennen« im Deutschen*.

Die scheinbar evidente Aussage geht also, wenn man sie mit sprachlicher Sorgfalt formuliert, in die folgende über: »Wir können niemals urteilen (bzw. zu einem wahren Urteil dar-

* Russell analysiert hier ein klassisches Beispiel für ein nicht sprachneutrales philosophisches Argument, das von der Zweideutigkeit des Verbums »know« lebt. Es wäre im Deutschen, wo man den Unterschied zwischen »wissen« und »kennen« unwillkürlich macht, nicht mit diesem ersten Anschein von Plausibilität zu formulieren. Man sollte sich davon aber nicht verführen lassen, auf eine gleichsam von Natur aus größere erkenntnistheoretische Subtilität der deutschen Sprache zu bauen. Der Unterschied zwischen »wissen« und »kennen« deckt sich nicht immer mit dem Unterschied zwischen der Erkenntnis von Wahrheiten und der Bekanntschaft mit Dingen. Man sagt zwar »ich weiß, daß ...« (folgt ein Satz) und »ich kenne ...« (folgt ein Name), aber man gebraucht ja auch Namen für Wahrheiten (»Ich kenne den Satz des Pythagoras«). – Auch beim Gebrauch von »Wissen«

über kommen), daß es etwas gibt, was wir nicht kennen.« Und dies ist nun keineswegs eine Selbstverständlichkeit, sondern ersichtlich falsch. Ich habe (jetzt, Anfang 1912) nicht die Ehre, den Kaiser von China zu kennen, aber ich urteile durchaus richtig, daß es ihn gibt. Man kann natürlich einwenden, daß ich so urteile, weil es andere Leute gibt, die ihn kennen. Aber dieser Einwand wäre irrelevant; denn wenn der strittige Satz wahr wäre, könnte ich nicht wissen, daß ihn überhaupt jemand kennt. Und weiter: Es gibt keinen Grund, weshalb ich nicht wissen sollte, daß es etwas gibt, was *niemand* kennt. Dieser Punkt ist wichtig und muß genauer erläutert werden.

Wenn ich etwas kenne, das existiert, weiß ich durch meine Bekanntschaft mit ihm, daß es existiert. Es gilt aber nicht umgekehrt, daß, wenn ich wissen kann, daß eine Sache existiert, ich oder jemand anders sie auch kennen muß. In den Fällen, wo ich über etwas wahre Urteile fälle, ohne daß es mir bekannt wäre, weiß ich etwas durch *Beschreibung* von diesem Gegenstand und kann mit Hilfe allgemeiner Regeln von der Existenz mir bekannter Dinge auf die Existenz eines Gegenstands, der dieser Beschreibung entspricht, schließen. Um diesen Punkt richtig zu begreifen, werden wir am besten zuerst den Unterschied zwischen »Bekanntschaft« und »Erkenntnis durch Beschreibung« behandeln und danach erörtern, welche Kenntnis allgemeiner Prinzipien – wenn es sie gibt – denselben Grad von Gewißheit hat wie die Kenntnis unserer eigenen Erlebnisse. Das sind die Themen der nun folgenden Kapitel.

und »Erkenntnis« sollte man auf mögliche Unterschiede in den Bedeutungsnuancen achten: »Ich weiß es« bejaht primär die Frage »Ist ... wahr?«, während »Ich erkenne es, bzw. habe es erkannt« primär die Frage »Woher weißt du das?« beantwortet – eine Antwort, die allerdings Rückfragen zuläßt. Die Bedeutungen überschneiden sich etwa in der Wendung »Ich habe erkannt und weiß jetzt, daß ...« Es handelt sich also um einen Unterschied der Frage nach der *Garantie* und der *Genese* der Wahrheit bzw. der »unmittelbaren Erkenntnis«. Die klassische empiristische Erkenntnistheorie beruht zum guten Teil auf einem Verwischen dieses Unterschieds, was ihr u. a. den Vorwurf des Psychologismus eingetragen hat. – Vielfach ergibt das Verwischen dieses Unterschieds auch die glattere sprachliche Formulierung, ohne den Sinn wesentlich zu verfälschen. *(Anm. d. Üb.)*

5 Erkenntnisformen: Bekanntschaft und Beschreibung

Wir haben soeben gesehen, daß es zwei Arten von Erkenntnis gibt: die von Dingen und die von Wahrheiten. In diesem Kapitel haben wir es ausschließlich mit der Erkenntnis von Dingen zu tun, bei der wir wiederum zwei Arten zu unterscheiden haben. Die Art, die wir *Bekanntschaft* nennen, ist ihrer Natur nach einfacher als jede Erkenntnis von Wahrheiten und logisch von solchem Wissen unabhängig, obwohl es voreilig wäre anzunehmen, daß menschliche Wesen tatsächlich Bekanntschaft mit Dingen haben, ohne gleichzeitig irgendwelche Wahrheiten über sie zu kennen. Die Erkenntnis von Dingen durch *Beschreibung* hingegen involviert immer – wie wir in diesem Kapitel feststellen werden – ein Wissen von Wahrheiten als Grund und Ursprung eben dieser Erkenntnis. Aber zuerst müssen wir uns klarmachen, was wir unter »Bekanntschaft« und was wir unter »Beschreibung« verstehen wollen.

Wir wollen von *Bekanntschaft* immer dann sprechen, wenn uns etwas unmittelbar, ohne Vermittlung durch Schlußfolgerungen oder eine vorausgegangene Erkenntnis von Wahrheiten, bewußt ist. Angesichts meines Tisches sind mir die Sinnesdaten – Farbe, Form, Härte, Glätte usw. –, die die Erscheinung meines Tisches ausmachen, bekannt, also alles, was mir beim Sehen und Berühren meines Tisches unmittelbar bewußt wird. Man kann über den bestimmten Farbton, den ich sehe, vieles sagen – z. B. daß es ein Braun ist, und zwar ein ziemlich dunkles, und so fort. Doch solche Aussagen lassen mich zwar Wahrheiten *über* die Farbe erkennen, machen mir die Farbe selbst aber nicht besser bekannt, als sie es vorher schon war: was meine Kenntnis der Farbe selbst – im Gegensatz zur Erkenntnis von Wahrheiten über sie – betrifft, so kenne ich sie ganz und gar, wenn ich sie sehe, und eine bessere Kenntnis ist nicht einmal theoretisch möglich. Die Sinnesdaten, die die Erscheinung meines Tisches ausmachen, sind also Dinge, die mir bekannt sind, die ich unmittelbar so kenne, wie sie sind.

Was ich hingegen von dem Tisch als materiellem Gegenstand weiß, wird mir nicht unmittelbar bewußt. Zu diesem Wissen komme ich erst durch die Bekanntschaft mit den Sinnesdaten, die die Erscheinung des Tisches ausmachen. Wir haben gesehen, daß es möglich ist, zu zweifeln, ob es überhaupt einen Tisch gibt: aus dieser Annahme würde kein Widerspruch folgen. Andererseits ist es unmöglich, an den Sinnesdaten zu zweifeln. Was ich vom Tisch weiß, gehört also zur Erkenntnis durch Beschreibung.

Der Tisch ist »*der* physikalische Gegenstand, der *diese* Sinnesdaten verursacht«. So wird der Tisch mit Hilfe der Sinnesdaten *beschrieben*. Um überhaupt etwas über den Tisch zu erfahren, müssen wir Wahrheiten kennen, die ihn mit uns bekannten Dingen in Verbindung bringen; wir müssen wissen: »solche Sinnesdaten werden von einem physikalischen Objekt verursacht«. Es gibt keinen Bewußtseinszustand, in dem wir den Tisch unmittelbar wahrnehmen; was wir über den Tisch wissen, ist in Wirklichkeit ein Wissen von *Wahrheiten*, und das reale Ding, das der Tisch ist, ist uns strenggenommen überhaupt nicht bekannt. Wir kennen eine Beschreibung, und wir wissen, daß es nur einen Gegenstand gibt, auf den diese Beschreibung zutrifft, obwohl uns dieser Gegenstand nicht unmittelbar bekannt ist. In solchen Fällen sagen wir, daß unsere Kenntnis des Gegenstands Kenntnis durch Beschreibung ist.

Unser gesamtes Wissen – die Erkenntnis von Dingen ebenso wie die von Wahrheiten – hat die »Bekanntschaft« zur Grundlage. Darum ist es wichtig herauszufinden, welche Arten von Dingen uns bekannt sind.

Wir haben schon gesehen, daß die Sinnesdaten dazu gehören; tatsächlich ist die Art, in der sie uns gegeben sind, das sinnfälligste Beispiel für Bekanntschaft mit Gegenständen. Wenn sie das einzige Beispiel wären, wäre unser Wissen allerdings viel eingeschränkter als es der Fall ist. Wir würden nur das wissen, was unseren Sinnen gegenwärtig ist: nichts über die Vergangenheit – nicht einmal, daß es eine Vergangenheit gegeben hat –, und sogar *Wahrheiten* über unsere Sinnesdaten könnten wir nicht erkennen; denn wir werden beweisen, daß jede Erkenntnis von Wahrheiten eine Bekanntschaft mit Dingen voraussetzt, die von Sinnesdaten wesentlich verschieden sind. Man bezeichnet diese Dinge manchmal als »abstrakte

Ideen«, aber wir wollen sie »Universalien« nennen. Um zu einer leidlich angemessenen Analyse unseres Wissens zu kommen, werden wir daher auch unsere Bekanntschaft mit anderen Dingen als Sinnesdaten erörtern müssen.

Den ersten Schritt über die Sinnesdaten hinaus machen wir mit der Bekanntschaft im *Gedächtnis.* Ganz offenbar erinnern wir uns ja doch an das, was wir gesehen oder gehört haben, oder was unseren Sinnen auf andere Weise gegenwärtig gewesen ist, und in solchen Fällen ist uns unmittelbar bewußt, an was wir uns erinnern, wenn es uns auch als vergangen und nicht als gegenwärtig erscheint. Das unmittelbare Erkennen im Gedächtnis ist die Quelle unseres gesamten Wissens über die Vergangenheit: wenn wir es nicht hätten, könnten wir auch keine Rückschlüsse auf die Vergangenheit ziehen, weil wir dann gar nicht wüßten, daß es überhaupt etwas Vergangenes zu erschließen gibt.

Beim nächsten Schritt stoßen wir auf die Bekanntschaft durch *Introspektion.* Wir nehmen nicht nur Dinge wahr, wir nehmen auch wahr, daß wir sie wahrnehmen. Wenn ich die Sonne sehe, ist mir mitunter bewußt, daß ich die Sonne sehe; mein »Sehen der Sonne« ist daher ein Gegenstand, der mir bekannt ist. Wenn ich Appetit auf ein bestimmtes Gericht habe, kann ich diesen Appetit zur Kenntnis nehmen; mein »Appetit auf dieses Essen« ist also auch ein Gegenstand, der mir bekannt ist. Ganz ähnlich können uns unsere angenehmen Gefühle, unsere Schmerzen, überhaupt unsere seelischen Vorgänge bewußt werden. Diese Art von Bekanntschaft, die man Selbstbewußtsein nennen kann, ist die Quelle unserer Erkenntnis geistiger und seelischer Phänomene. Nur was in uns selbst vorgeht, können wir so unmittelbar erkennen. Was im Bewußtsein oder im Gemüt anderer Menschen vorgeht, können wir nur durch Beobachtung ihrer Körper erfahren, d. h. durch diejenigen unserer Sinnesdaten, die mit ihren Körpern in einer Beziehung stehen. Wenn uns unser eigenes Bewußtsein nicht bekannt wäre, könnten wir uns das Bewußtsein anderer Menschen nicht vorstellen, und wir würden niemals wissen können, daß sie ein Bewußtsein haben. Die Vermutung liegt nahe, daß Selbstbewußtsein eines der Dinge ist, die den Menschen vom Tier unterscheiden: Wir dürfen annehmen, daß Tiere zwar Bekanntschaft mit Sinnesdaten haben, sich dieser Bekanntschaft aber nicht bewußt werden. Ich meine damit nicht etwa, daß sie an ihrer Existenz zweifelten, sondern nur, daß die Tatsache, daß sie Empfindungen und Gefühle haben und somit als Subjekt dieser Empfindungen und Gefühle existieren, ihnen niemals bewußt geworden ist.

Wir haben die Bekanntschaft mit unseren Bewußtseinsinhalten bzw. Gemütsbewegungen *Selbst*bewußtsein genannt, aber es handelt sich dabei natürlich nicht um ein Bewußtwerden unseres *Selbst*, sondern um ein Bewußtwerden bestimmter, einzelner Gedanken und Gefühle. Ob uns unser »reines Ich« – im Gegensatz zu unseren Gedanken und Gefühlen – bekannt ist? Das ist eine sehr schwierige Frage, und es wäre vorschnell, sich dazu definitiv zu äußern. Wenn wir in uns hineinzusehen versuchen, dann scheinen wir immer einen bestimmten Gedanken oder ein bestimmtes Gefühl anzutreffen und nie das »Ich«, das diese Gedanken und Gefühle hat. Dennoch sprechen einige Gründe für eine Bekanntschaft mit unserem »Ich«; es ist nur schwer, diese Bekanntschaft aus ihrer Verflochtenheit mit anderen Dingen herauszulösen. Damit uns deutlich wird, um was für Gründe es sich dabei handelt, wollen wir einen Augenblick lang betrachten, was aus unserer Bekanntschaft mit bestimmten Gedanken alles folgt.

Wenn mir »mein Sehen der Sonne« bekannt ist, dann sind mir offenbar zwei verschiedene Dinge bekannt, die zueinander in einer Beziehung stehen. Es gibt einerseits das Sinnesdatum, das für mich die Sonne repräsentiert, und es gibt andererseits das, was dieses Sinnesdatum sieht. Jede Bekanntschaft – wie meine Bekanntschaft mit dem Sinnesdatum, das die Sonne repräsentiert – scheint aus einer Beziehung zwischen einer Person und einem Gegenstand, mit dem die Person bekannt ist, zu bestehen. Wenn eine Bekanntschaft mir bekannt sein kann (so, wie mir meine Bekanntschaft mit dem Sinnesdatum, das die Sonne repräsentiert, bekannt ist), ist es klar, daß ich die Person bin, die diese Bekanntschaft hat. Wenn mir also mein »Sehen der Sonne« bekannt ist, dann heißt der vollständige Sachverhalt, der mir bekannt ist: »Bekanntschaft meiner selbst mit einem Sinnesdatum«.

Außerdem kennen wir die Wahrheit: »Dieses Sinnesdatum ist

mir bekannt.« Es ist schwer einzusehen, wie wir zu dieser Wahrheit kommen oder auch nur den Sinn des Satzes verstehen könnten, wenn uns kein »Ich« bekannt wäre. Wir brauchen jedoch offenbar nicht anzunehmen, daß uns eine mehr oder weniger dauerhafte Person bekannt ist, nämlich die, die es auch gestern schon gegeben hat; aber scheinbar muß uns das Etwas – was immer es sein mag –, das die Sonne sieht und überhaupt Sinnesdaten hat, bekannt sein. In einem gewissen Sinne will es also so scheinen, als ob uns unser Selbst – und nicht nur unsere Erlebnisse je für sich – bekannt sein müßte; aber das ist eine schwierige Frage, und beide Parteien können in diesem Streit komplizierte Argumente für sich ins Feld führen. Es gibt demnach *wahrscheinlich* so etwas wie eine Bekanntschaft mit uns selbst; aber es wäre nicht weise, zu behaupten, daß es sie ohne allen Zweifel gibt.

Wir können also das, was wir über unsere Bekanntschaft mit existierenden Dingen gesagt haben, folgendermaßen zusammenfassen: Sinnesdaten sind uns durch Empfindungen unserer äußeren Sinne bekannt, und durch Introspektion kennen wir die Gegebenheiten unseres »inneren Sinnes« – Gedanken, Gefühle, Wünsche etc. Unser Gedächtnis macht uns mit Dingen bekannt, die einmal Gegebenheiten unserer äußeren Sinne oder unseres inneren Sinnes gewesen sind. Es ist außerdem wahrscheinlich, wenn auch nicht gewiß, daß uns unser Selbst bekannt ist: als das, was Dinge wahrnimmt oder seine Wünsche auf sie richtet.

Außer Einzeldingen sind uns auch die sogenannten *Universalien* bekannt, d. h. allgemeine Ideen wie »Schwärze«, »Verschiedenheit«, »Brüderlichkeit«, und so fort. Jeder vollständige Satz muß wenigstens eine solche allgemeine Idee enthalten, weil die Bedeutung aller Verben in diesem Sinne allgemein ist. Wir werden später, im Kapitel 9, auf die Universalien eingehen; im Augenblick genügt es, wenn wir uns vor der Hypothese hüten, daß alles, was uns bekannt sein kann, ein einzelnes Seiendes sein müsse. Das Bewußtwerden von Universalien nennt man *»begreifen«*, und ein Universale, das uns bewußt ist, nennen wir einen *Begriff*.

Wir sehen, daß zu den Gegenständen, die uns bekannt sind, weder materielle Dinge (im Gegensatz zu Sinnesdaten) noch das Bewußtsein oder das Gemüt anderer Menschen gehören. Was wir von ihnen wissen, beruht auf der von mir so genannten »Erkenntnis durch Beschreibung«, auf die wir jetzt eingehen wollen.

Als *»Beschreibung«* bezeichne ich jeden Ausdruck der Form *»ein so-und-so«* oder *»der (die, das) so-und-so«*. Ein Ausdruck der Form »ein so-und-so« ist eine *»mehrdeutige«* Beschreibung, ein Ausdruck der Form »der so-und-so« (im Singular) eine *»eindeutige«* Beschreibung. »Ein Mann« ist eine mehrdeutige Beschreibung, und »der Mann mit der eisernen Maske« ist eine eindeutige Beschreibung. Es gibt verschiedene Probleme, die sich im Zusammenhang mit mehrdeutigen Beschreibungen stellen, aber ich übergehe sie hier, weil sie nicht unmittelbar mit der Frage zu tun haben, die uns beschäftigt, nämlich der Frage nach der Art unserer Erkenntnis von Gegenständen in den Fällen, wo wir wissen, daß es einen Gegenstand gibt, der einer eindeutigen Beschreibung entspricht, ohne daß uns dieser Gegenstand *bekannt* wäre. Für diese Frage sind nur *eindeutige* Beschreibungen von Interesse. Ich werde deshalb im folgenden einfach von »Beschreibungen« sprechen, wenn ich »eindeutige Beschreibungen« meine. Eine Beschreibung ist dann jeder Ausdruck der Form »der so-und-so« im Singular.

Wir werden sagen, daß ein Gegenstand »durch Beschreibung bekannt« ist, wenn wir wissen, daß er »der so-und-so« ist, d. h. wenn wir wissen, daß es einen Gegenstand gibt – und nur einen –, der eine bestimmte Eigenschaft hat, und es wird dabei im allgemeinen vorausgesetzt, daß uns dieser Gegenstand nicht selbst bekannt ist. Wir wissen, daß es den Mann mit der eisernen Maske gab; es läßt sich viel über ihn sagen; aber wir wissen nicht, wer er war. Wir wissen, daß der Kandidat, der die meisten Stimmen hat, gewählt wird, und in diesem Falle ist es sehr wahrscheinlich, daß uns der Mann, der tatsächlich die meisten Stimmen bekommen wird, auch bekannt ist (in dem einzigen Sinne, in dem uns jemand anderes bekannt sein kann); aber wir wissen nicht, welcher der Kandidaten das ist, d. h. wir kennen keinen Satz der Form »A ist der Kandidat, der die meisten Stimmen bekommen wird«, wobei A der Name eines der Kandidaten ist. Wir haben »nur durch Beschreibung Kenntnis« von einem so-und-so, wenn wir zwar wissen, daß es »das so-und-so« gibt und wir möglicherweise sogar den Gegenstand kennen, der tatsächlich »das so-und-so« ist, wir aber keinen Satz »a ist das so-und-so« kennen, in dem »a« ein uns bekannter Gegenstand ist.

Wenn wir sagen »das so-und-so existiert« meinen wir, daß es einen und nur einen Gegenstand gibt, der »das so-und-so« ist. Der Satz »a ist das so-und-so« bedeutet, daß a *und nichts anderes* die Eigenschaft so-und-so hat. »Herr A. ist der sozialistische Kandidat für diesen Wahlkreis, und niemand sonst.« »Es gibt einen sozialistischen Kandidaten für diesen Wahlkreis« bedeutet »Jemand ist sozialistischer Kandidat für diesen Wahlkreis, und außer ihm gibt es hier keinen Kandidaten dieser Partei«. Wenn uns also ein Gegenstand bekannt ist, der »das so-und-so« ist, dann wissen wir, daß es »das so-und-so« gibt; aber wir können auch wissen, daß es »das so-und-so« gibt wenn uns kein Gegenstand als »das so-und-so« bekannt ist, und wir können dies sogar dann wissen, wenn uns kein Gegenstand bekannt ist, der tatsächlich »das so-und-so« ist.

Namen – selbst Eigennamen – sind in Wirklichkeit meist Beschreibungen. D. h., der Gedanke, den eine Person hat, die einen Eigennamen korrekt gebraucht, kann im allgemeinen nur vollständig und deutlich ausgedrückt werden, wenn wir den Eigennamen durch eine Beschreibung ersetzen. Außerdem werden verschiedene Personen verschiedene Beschreibungen gebrauchen müssen, um diesen selben Gedanken auszudrücken, und ein und dieselbe Person wird zu verschiedenen Zeitpunkten verschiedene Beschreibungen gebrauchen müssen. Das einzige, was sich unverändert erhält, ist der Gegenstand, den der Name bezeichnet – wenn er richtig gebraucht wird. Und solange sich dieser Gegenstand unverändert erhält, ändert die Beschreibung, die man gerade gebraucht, nichts an der Wahrheit oder Falschheit des Satzes, in dem der Name vorkommt.

Betrachten wir einige Beispiele. Angenommen, es würde eine Aussage über Bismarck gemacht. Wenn es so etwas wie eine unmittelbare Bekanntschaft mit sich selbst gibt, hätte Bismarck seinen Namen gebrauchen können, um die ihm bekannte Person unmittelbar zu bezeichnen. In diesem Falle wäre er selbst ein Bestandteil jeder Aussage gewesen, die er über sich selbst gemacht hätte. Der Eigenname würde hier so geradezu gebraucht, wie man es immer gern hätte: als Stellvertreter eines Gegenstands und nicht bloß als Stellvertreter einer Beschreibung des Gegenstands. Aber wenn jemand, der Bismarck kannte, etwas über ihn sagt, liegen die Dinge anders. Dieser Person waren gewisse Sinnesdaten bekannt, die er (mit Recht, wollen wir annehmen) mit Bismarcks Körper in Verbindung brachte. Bismarcks Körper – als materieller Gegenstand – und noch mehr sein Geist waren dieser Person nur als der mit diesen Sinnesdaten verknüpfte Körper und Geist bekannt, d. h. sie waren nur durch Beschreibung bekannt. Es hängt natürlich sehr vom Zufall ab, welche Eigenschaften eines Mannes (oder vielmehr seiner Erscheinung) einem Freunde gegenwärtig sind, wenn er an ihn denkt; die Beschreibung, die der Freund gibt, ist daher etwas Zufälliges. Wesentlich ist, daß er weiß, daß all diese Beschreibungen sich auf ein und denselben Gegenstand beziehen, auch wenn der fragliche Gegenstand selbst ihm nicht bekannt ist.

Wenn wir, die ihn nicht gekannt haben, an Bismarck denken, wird die Beschreibung, die wir im Kopf haben, vermutlich aus einer mehr oder minder vagen Ansammlung historischen Wissens bestehen – normalerweise doch wohl mehr Wissens als nötig wäre, um ihn zu identifizieren. Nehmen wir der Einfachheit halber an, daß wir an ihn als »den ersten Kanzler des Deutschen Reiches« denken. In dieser Beschreibung sind alle Wörter abstrakt, ausgenommen »deutsch«. Das Wort »deutsch« wiederum wird für verschiedene Leute verschiedene Bedeutungen haben: einige wird es an ihre Reisen in Deutschland erinnern, andere an das Aussehen Deutschlands auf einer Landkarte, und so fort. Wenn wir jedoch zu einer Beschreibung kommen wollen, die wirklich anwendbar sein soll, dann müssen wir früher oder später einen Punkt erreichen, wo wir uns auf etwas uns Bekanntes beziehen. Eine solche Bezugnahme ist in jeder Erwähnung des Vergangenen, Gegenwärtigen oder Zukünftigen (im Gegensatz zur genauen Datumsangabe) enthalten, ebenso in der Erwähnung eines Hier oder Dort, und auch im Hinweis auf das, was uns andere gesagt haben. Es scheint, daß jede auf einen bestimmten Gegenstand anwendbare Beschreibung sich unter anderem auf etwas beziehen muß, das uns unmittelbar bekannt ist, wenn unser Wissen über den beschriebenen Gegenstand nicht allein auf das beschränkt bleiben soll, was aus der Beschreibung *logisch* folgt. Z. B. ist »der Mann, der am längsten gelebt hat« eine Beschreibung, die nur aus Universalien besteht. Sie muß auf irgendeinen Mann zutreffen, aber wir können über ihn nichts sagen, was über das in der Beschreibung Mitgeteilte hinausginge. Wenn wir aber sagen »Der erste deutsche Reichskanzler war ein gewiegter Diplomat«, können wir nur deshalb sicher sein, daß dieses Urteil wahr ist, weil wir mit etwas bekannt sind – nämlich einer mündlichen oder schriftlichen Überlieferung. Abgesehen von der Information, die wir anderen übermitteln, und abgesehen von dem Sachverhalt, der den wirklichen Bismarck betraf und durch den unser Urteil überhaupt erst Bedeutung hat, besteht der Gedanke, den wir wirklich haben, aus einem oder mehreren Dingen, auf die Bezug genommen wird, und sonst nur aus Begriffen.

Alle Ortsnamen – London, England, Europa, die Erde, das Sonnensystem – implizieren in ihrem Gebrauch ebenfalls Beschreibungen, die an eines oder mehrere uns bekannte Dinge anknüpfen. Ich vermute, daß sogar die Welt, das Universum, mit dem es die Metaphysik zu tun hat, auf ähnliche Weise mit bekannten Einzeldingen verknüpft ist. In der Logik hingegen, wo wir es nicht nur mit existierenden Dingen zu tun haben sondern mit allem, was auf irgendeine Weise existieren oder sein könnte, gibt es keine solche Bezugnahme auf reale Dinge.

Wenn wir eine Aussage über irgend etwas machen, das wir nur durch Beschreibung kennen, dann könnte es scheinen, als ob unsere Intention nicht wäre, die Aussage in der die Beschreibung enthaltenden Form zu machen, sondern als ob wir über das beschriebene wirkliche Ding selber reden wollten. D. h. wenn wir etwas über Bismarck sagen, würden wir gerne – wenn wir nur könnten – die Aussage machen, die allein Bismarck hätte machen können, nämlich die Aussage, zu deren Bestandteilen er selber gehört. Dieser Wunsch bleibt uns mit Notwendigkeit unerfüllt, weil uns der wirkliche Bismarck unbekannt ist. Aber wir wissen, daß es einen Gegenstand B, Bismarck genannt, gibt, und daß dieser B ein gewiegter Diplomat war. Wir können also den Satz, den wir gerne behaupten würden, *beschreiben,* nämlich: »B war ein gewiegter Diplomat«, wobei B der Gegenstand ist, der Bismarck war*. Wenn wir Bismarck als »den ersten deutschen Reichskanzler« beschreiben, kann man den von uns gewünschten Satz als »der Satz, der über den wirklichen Gegenstand, der der erste deutsche Reichskanzler war, aussagt, daß dieser Gegenstand ein gewiegter Diplomat war« beschreiben. Wir können uns miteinander ungeachtet des Wechsels der Beschreibungen verständigen, weil wir wissen, daß es einen wahren Satz über den wirklichen Bismarck gibt, und daß dieser von uns beschriebene Satz unverändert bleibt, ganz gleich, wie wir unsere Beschreibungen variieren – wenn sie nur immer zutreffend sind. Dieser Satz, den wir beschreiben und von dem wir wissen, daß er wahr ist, ist das, was uns interessiert. Der Satz selbst ist uns nicht bekannt; wir kennen ihn nicht, obgleich wir wissen, daß er wahr ist.

Man sieht hier, daß es verschiedene Stadien des Entferntseins von der Bekanntschaft mit Einzeldingen gibt: es gibt einen Bismarck für die Menschen, die ihn gekannt haben, einen anderen Bismarck für diejenigen, die ihn nur durch die Geschichte kennen; es gibt den Mann mit der eisernen Maske und den Mann, der am längsten gelebt hat. Jeder von ihnen ist etwas weiter von dem Bereich des uns Bekannten entfernt. Der erste kommt dem Bekanntsein so nahe, wie das bei einer anderen Person überhaupt möglich ist; beim zweiten wird man immerhin noch sagen, daß wir wissen, »wer Bismarck war«. Wir wissen nicht, wer der Mann mit der eisernen Maske war, obwohl wir eine Menge Aussagen über ihn kennen, die nicht logisch aus der Tatsache, daß er eine eiserne Maske trug, folgen. Im vierten und letzten Falle schließlich wissen wir nur das, was sich logisch aus der Beschreibung des Mannes folgern läßt. Eine ähnliche Hierarchie gibt es im Bereich der Universalien. Viele Universalien kennen wir, ebenso wie viele Einzeldinge, nur durch Beschreibung. Aber wie bei den Einzeldingen muß auch in diesem Falle unser Wissen durch Beschreibung

* Es wird deutlich, daß »Satz« hier nicht dasselbe meint wie im gewöhnlichen Gebrauch des Worts, sondern eine merkwürdige Sache, die mit der »propositio«, dem »Urteil« der Schullogik, dem »Satz an sich« Bolzanos, dem »Gedanken« bei Frege und dem »Satz« in Wittgensteins *Tractatus* verwandt ist. *(Anm. d. Üb.)*

letzten Endes auf ein Wissen durch Bekanntschaft zurückführbar sein.

Das Grundprinzip für die Analyse von Sätzen, in denen Beschreibungen vorkommen, lautet also: *Jeder Satz, den wir verstehen können, muß vollständig aus Bestandteilen zusammengesetzt sein, die uns bekannt sind.*

Wir wollen hier gar nicht versuchen, auf alle Einwände einzugehen, die gegen dieses Prinzip vorgebracht werden können, sondern nur bemerken, daß es möglich sein muß, derlei Einwände zu widerlegen; denn es ist kaum denkbar, daß wir ein Urteil fällen oder eine Annahme machen könnten, ohne zu wissen, worüber wir urteilen oder was wir annehmen. Die Wörter, die wir gebrauchen, müssen *irgendeine* Bedeutung haben, wenn wir sinnvoll reden und nicht bloß Geräusche machen wollen; und die Bedeutung, die wir unseren Wörtern beilegen, muß etwas sein, das uns bekannt ist. Wenn wir z. B. eine Aussage über Julius Cäsar machen, ist es klar, daß wir nicht an Julius Cäsar selber denken, denn wir kennen ihn nicht. Wir denken an eine *Beschreibung* von Julius Cäsar: »der Mann, der an den Iden des März ermordet wurde«, »der Begründer des Römischen Reiches«, oder vielleicht auch bloß »der Mann, der Julius Cäsar hieß«. (Bei dieser letzten Beschreibung ist »Julius Cäsar« ein Geräusch oder ein Schriftbild, das uns bekannt ist.) Unser Satz bedeutet also nicht ganz das, was er zu bedeuten scheint, denn an die Stelle von Julius Cäsar tritt eine Beschreibung, die sich ausschließlich auf uns bekannte Einzeldinge und Universalien bezieht.

Die Erkenntnis durch Beschreibung ist deshalb so wichtig, weil sie uns in die Lage versetzt, die Grenzen unserer persönlichen Erfahrung zu überschreiten. Wir können zwar nur solche Wahrheiten erkennen, mit deren Bestandteilen uns unsere Erfahrung bekanntgemacht hat, kennen aber durch Beschreibung Dinge, die selbst noch nie in unserer Erfahrung vorgekommen sind. Angesichts der sehr engen Grenzen, die unserem unmittelbaren Erleben gesetzt sind, ist das ein äußerst wichtiges Ergebnis, und solange uns seine Bedeutung noch nicht ganz klar geworden ist, werden uns große Teile unseres Wissens mysteriös und folglich zweifelhaft erscheinen.

6 Über Induktion

Unsere Überlegungen waren bis jetzt fast ausschließlich darauf gerichtet, Klarheit über die Gegebenheiten zu gewinnen, auf denen unser Wissen von der Existenz von Dingen beruht. Welche Dinge gibt es in der Welt, von denen wir wissen, daß sie existieren, weil sie uns bekannt sind? Unsere Antwort war, daß uns unsere Sinnesdaten und – wahrscheinlich – auch wir selbst bekannt sind. Wir wissen, daß sie existieren. Vergangene Sinnesdaten, an die wir uns erinnern, haben in der Vergangenheit existiert. Dieses Wissen bildet unseren Vorrat an Gegebenheiten.

Wenn wir nun imstande sein sollen, Schlüsse aus diesen Gegebenheiten zu ziehen – wenn wir etwas über die Existenz der Materie, anderer Menschen, der Vergangenheit, die vor dem Beginn unserer persönlichen Erinnerungen liegt, und der Zukunft wissen, dann muß es irgendwelche allgemeinen Prinzipien geben, mit deren Hilfe wir solche Schlüsse ziehen können. Wir müssen wissen, daß die Existenz eines Dinges der Art A ein Zeichen für die Existenz einer anderen Art von Ding B ist, das gleichzeitig mit A oder früher oder später als A existiert – wie zum Beispiel Donner ein Zeichen für die voraufgegangene Existenz eines Blitzes ist. Wenn uns solche Prinzipien unbekannt wären, könnten wir unser Wissen niemals über den Bereich unserer persönlichen Erfahrung hinaus ausdehnen, und dieser Bereich ist – wie wir gesehen haben – sehr eng begrenzt. Es stellt sich daher die Frage, ob eine solche Ausdehnung unseres Wissens möglich ist und wie sie zustande kommt, wenn sie möglich ist.

Betrachten wir als Beispiel einen Vorgang, an dem niemand von uns auch nur im mindesten zweifelt. Wir alle sind überzeugt, daß die Sonne morgen früh aufgehen wird. Warum? Ist diese Überzeugung nur ein blindes Resultat unserer Erfahrung oder kann sie als eine vernünftige Erwartung gerechtfertigt werden? Es ist nicht leicht, ein Kriterium zu finden, nach dem man beurteilen könnte, ob eine solche Erwartung vernünftig ist oder nicht, aber wir können doch wenigstens feststellen, welche Art von allgemeinen Annahmen ausreichen würde – wenn es sich dabei um richtige Annahmen handelt –, um das Urteil, daß die Sonne morgen früh aufgehen wird, und viele ähnliche Urteile, die wir bei unseren Handlungen voraussetzen, zu rechtfertigen.

Wenn uns jemand fragt, warum wir glauben, daß die Sonne morgen früh aufgehen wird, werden wir zweifellos antworten: »Weil sie bis jetzt jeden Morgen aufgegangen ist!« Wir sind der festen Überzeugung, daß sie auch in Zukunft aufgehen wird, weil sie in der Vergangenheit immer aufgegangen ist. Wenn wir noch weiter nach unseren Gründen befragt werden, können wir uns auf die Gesetze der Dynamik berufen: Die Erde, so werden wir sagen, ist ein frei im Raum rotierender Körper, und solche Körper hören nicht auf zu rotieren, wenn nicht eine äußere Einwirkung auf sie erfolgt, und es gibt nichts im Raum, was bis morgen früh auf die Bewegung der Erde einwirken könnte. Man könnte natürlich zweifeln, ob es wirklich ganz sicher ist, daß es da draußen nichts gibt, was mit der Erde zusammenstoßen könnte. Aber dieser Zweifel ist für uns uninteressant. Interessant für uns ist der Zweifel, ob die Gesetze der Dynamik morgen früh noch gelten werden. Sobald diese Frage gestellt wird, finden wir uns wieder an demselben Punkt wie anfangs, als gefragt wurde, ob denn die Sonne morgen früh aufgehen wird.

Der *einzige* Grund für die Annahme, daß die Gesetze der Dynamik auch weiterhin gelten werden, ist die Tatsache, daß sie bis jetzt gegolten haben, soweit wir das aufgrund unseres Wissens von der Vergangenheit beurteilen können. Es ist wahr: Die Vergangenheit liefert uns mehr Belege für die Gültigkeit der Gesetze der Dynamik als für die Erwartung des Sonnenaufgangs, weil der Sonnenaufgang nur ein Spezialfall für die Gültigkeit dieser Gesetze ist und es noch unzählige andere solche Fälle gibt. Aber es stellt sich die Frage: Kann man *überhaupt* aufgrund der zahlreichen (oder unzähligen) Fälle, in denen sich ein Gesetz in der Vergangenheit bestätigt hat, erwarten, daß es auch in Zukunft gelten wird? Wenn nicht, ist es klar, daß wir ganz ohne Grund erwarten, daß die Sonne morgen früh aufgehen wird, oder daß uns unser nächstes Frühstück nicht vergiften wird, und das gilt auch für all die anderen kaum bewußten Erwartungen, die unser tägliches Leben beherrschen. Es ist zu bemerken, daß diese Erwartungen nur *Wahrscheinlichkeit* in Anspruch nehmen; wir brauchen also nicht nach einem Beweis zu suchen, daß sie erfüllt werden *müssen;* es genügt, wenn wir Gründe finden, die dafür sprechen, daß sie *wahrscheinlich* erfüllt werden.

Bevor wir auf diese Frage eingehen, müssen wir eine wichtige Unterscheidung machen, ohne die wir uns bald in hoffnungsloser Konfusion verlieren würden. Die Erfahrung hat uns gelehrt, daß bisher die häufige Wiederholung eines gleichförmigen Vorgangs oder Zusammenhangs die *Ursache* dafür gewesen ist, daß wir denselben Vorgang oder Zusammenhang bei der nächsten Gelegenheit erwarten. Eine Speise von bestimmtem Aussehen hat im allgemeinen auch einen bestimmten Geschmack, und es ist ein Schock für uns, wenn auf den vertrauten Anblick ein ungewohnter Geschmack folgt. Dinge, die wir sehen, verbinden wir gewohnheitsmäßig mit bestimmten Tastempfindungen, die wir bei ihrer Berührung erwarten; in vielen Gespenstergeschichten erwacht das Grauen vor dem Gespenst in dem Augenblick, wo man es nicht anfassen kann. Wenn ungebildete Leute zum erstenmal ins Ausland reisen, sind sie manchmal dermaßen darüber erstaunt, daß niemand ihre Muttersprache versteht, daß sie dies einfach nicht glauben mögen.

Diese Art von Assoziation ist nicht auf Menschen beschränkt, man findet sie auch bei Tieren stark ausgeprägt. Ein Pferd, das seinen Wagen oft eine bestimmte Straße entlanggezogen hat, weigert sich, wenn es auf einmal eine andere Richtung einschlagen soll. Haustiere erwarten ihr Futter, wenn sie die Person sehen, die sie regelmäßig füttert. Wir alle wissen, daß diese ziemlich groben Erwartungen einer Gleichförmigkeit leicht in die Irre führen. Der Mann, der das Huhn tagtäglich gefüttert hat, dreht ihm zu guter Letzt das Genick um und beweist damit, daß es für das Huhn nützlicher gewesen wäre wenn es sich etwas subtilere Meinungen über die Gleichförmigkeit der Natur gebildet hätte.

Aber auch wenn solche Erwartungen in die Irre führen, sie existieren nun einmal. Die bloße Tatsache, daß etwas in einer bestimmten Zahl von Fällen eingetreten ist, ruft in Tieren und Menschen die Erwartung hervor, daß es sich auch in Zukunft so verhalten wird. So lassen uns unsere Instinkte mit Bestimmtheit glauben, daß die Sonne morgen früh aufgehen wird; aber es könnte ja sein, daß wir in keiner besseren Lage sind als das Huhn, dem wider alles Erwarten das Genick umgedreht wird. Wir müssen also die Tatsache, daß Erwartungen hinsichtlich der Zukunft von vergangenen Gleichförmigkeiten *verursacht* werden, von der Frage unterschieden, ob es einen vernünftigen Grund gibt, solchen Erwartungen Gewicht beizumessen, wo doch ihre Berechtigung nun schon in Frage gestellt worden ist.

Das Problem, das wir erörtern müssen, ist, ob es irgendwelche Gründe gibt, an das, was man die »Gleichförmigkeit der Natur« nennt, zu glauben. Der Glaube an die Gleichförmigkeit der Natur sagt, daß alles, was geschieht oder geschehen wird, unter ein allgemeines Gesetz fällt, das keine Ausnahmen zuläßt. Bei den groben Erwartungen, von denen wir gesprochen haben, gibt es immer Ausnahmen; deshalb führen sie oft zu Enttäuschungen. Die Wissenschaft jedoch pflegt anzunehmen, daß allgemeine Regeln, für die es Ausnahmen gibt, immer durch allgemeine Regeln ersetzt werden können, die ohne Ausnahme gelten – zumindest nimmt sie dies als Arbeitshypothese an. »Frei in der Luft befindliche Körper fallen nach unten« ist eine allgemeine Regel, bei der Luftballons und Flugzeuge die Ausnahmen bilden. Aber für die Bewegungsgesetze und das Gesetz der Schwerkraft gibt es diese Ausnahmen nicht. Sie erklären das Fallen der Körper ebenso wie die Tatsache, daß Luftballons und Flugzeuge steigen können.

Die Überzeugung, daß die Sonne morgen früh aufgehen wird, könnte widerlegt werden, wenn die Erde plötzlich mit einem großen Körper zusammenstieße, der ihren Drehimpuls vernichten würde; aber die Gesetze der Dynamik und das Gravitationsgesetz würden durch ein solches Ereignis nicht verletzt. Es ist die Aufgabe der Wissenschaft, Gleichförmigkeiten zu finden – wie die Gesetze der Dynamik und das Gravitationsgesetz –, die im Bereich unserer Erfahrung ausnahmslos gültig sind. Die Wissenschaft hat dabei bemerkenswerte Erfolge gehabt; man darf zugeben, daß einige dieser Gleichförmigkeiten bislang immer gegolten haben. Und damit kommen wir wie-

der auf unsere Frage zurück: angenommen, daß sie in der Vergangenheit gegolten haben, gibt es irgendeinen Grund für die Annahme, daß sie auch in Zukunft gelten werden?
Es ist gesagt worden, daß es einen Grund gibt, aus dem die Zukunft der Vergangenheit ähneln müsse: die Zukunft ist ja dauernd Vergangenheit geworden und ist der Vergangenheit immer ähnlich gewesen, so daß wir die Zukunft aus Erfahrung kennen, nämlich durch unsere Erfahrung von Zeitabschnitten, die früher einmal Zukunft waren und die wir eine vergangene Zukunft nennen könnten. Nun, ein solches Argument verschiebt in Wirklichkeit nur die Frage. Wir kennen nämlich die vergangene Zukunft und nicht die zukünftige Zukunft, und es bleibt die Frage: Wird die zukünftige Zukunft der vergangenen Zukunft ähnlich sein? Diese Frage kann kein Argument beantworten, das sich nur auf die vergangene Zukunft beruft. Wir müssen daher nach wie vor nach einem Prinzip suchen, das uns in die Lage versetzt zu wissen, daß die Zukunft denselben Gesetzen gehorchen wird wie die Vergangenheit.
Überdies ist die Beziehung auf die Zukunft hier nicht wesentlich. Die nämliche Frage stellt sich, wenn wir die Gesetze, die innerhalb unserer Erfahrung funktionieren, auf vergangene Dinge anwenden, die außerhalb unserer Erfahrung liegen – wie wir das z. B. in der Geologie tun, oder bei Theorien über die Entstehung des Sonnensystems. Die Frage, um die es wirklich geht, heißt: »Wenn zwei Dinge oft miteinander verknüpft aufgetreten sind und kein Fall bekannt ist, in dem das eine ohne das andere vorgekommen wäre, ist dann das Auftreten des einen in einem neuen Fall ein guter Grund, auch das andere zu erwarten?« Von der Antwort auf diese Frage hängt die Berechtigung aller unserer Erwartungen für die Zukunft ebenso ab wie alle durch Induktion erzielten Resultate; in der Tat geht es um nichts Geringeres als die Gültigkeit sämtlicher Überzeugungen, auf die unser tägliches Leben gegründet ist.
Man muß zunächst zugeben, daß die Tatsache, daß zwei Dinge oft zusammen und niemals voneinander getrennt vorgekommen sind, allein noch nicht für einen strengen *Beweis* ausreicht, daß sie auch beim nächsten Mal zusammen auftreten werden. Wir können im besten Falle nur hoffen, daß es um so wahrscheinlicher wird, daß die beiden Dinge auch in Zukunft

miteinander verknüpft auftreten werden, je häufiger sie in der Vergangenheit miteinander verbunden waren, und daß diese Wahrscheinlichkeit *fast* zur Gewißheit werden wird, wenn sie nur oft genug miteinander verknüpft auftreten. Sie kann niemals ganz zur Gewißheit werden, weil wir wissen, daß es trotz häufigen Wiederholungen manchmal zu guter Letzt doch noch eine Überraschung gibt: wie in dem Fall des Huhns, dem das Genick umgedreht wird. Wir sollten also nicht mehr als Wahrscheinlichkeit verlangen.

Es ließe sich hier einwenden, daß wir doch wissen, daß alle Naturerscheinungen Gesetzen unterworfen sind, und daß wir manchmal aufgrund unserer Beobachtungen sehen können, daß nur ein Gesetz für die vorliegenden Tatsachen gelten kann. Darauf gibt es zwei Antworten. Erstens: Selbst wenn es *irgendein* nicht durch Ausnahmen eingeschränktes Gesetz gibt, das auf unseren Fall zutrifft, wissen wir doch praktisch niemals genau, ob wir dieses Gesetz entdeckt haben oder nur eins, für das man Ausnahmen zulassen muß. Zweitens scheint die Gültigkeit des Gesetzes selber doch nur wahrscheinlich zu sein, und unsere Überzeugung, daß es auch in Zukunft oder in vergangenen Fällen, die wir nicht selbst beobachtet haben, gültig ist, beruht auf eben dem Prinzip, das wir hier untersuchen.

Wir wollen dieses Prinzip das *Induktionsprinzip* nennen und es in zwei Sätzen so formulieren:

a) Wenn ein Ding einer bestimmten Art A oft zusammen mit einem Ding einer bestimmten anderen Art B und niemals ohne das gleichzeitige Auftreten eines Dings der Art B beobachtet worden ist, dann ist die Wahrscheinlichkeit, daß bei einem erneuten Auftreten von A auch B wieder auftreten wird, um so größer, je größer die Zahl von Fällen ist, in denen sie in der Vergangenheit zusammen beobachtet worden sind;

b) unter denselben Bedingungen wird, bei einer hinreichenden Zahl von beobachteten Verknüpfungen, die Wahrscheinlichkeit einer erneut zu beobachtenden Verknüpfung sich der Gewißheit annähern, und zwar wird sie der Gewißheit beliebig nahekommen.

In dieser Formulierung behandelt das Prinzip nur die Erfüllung unserer Erwartungen bei einer einzigen neuen Beobachtung. Wir möchten aber auch feststellen, daß es eine Wahrscheinlichkeit für das allgemeine Gesetz gibt, daß Dinge der Art A *immer* mit Dingen der Art B verknüpft sind, wenn diese Verknüpfung in einer hinreichenden Zahl von Fällen beobachtet worden und in keinem bekannten Fall ausgeblieben ist. Die Wahrscheinlichkeit des allgemeinen Gesetzes ist offenbar geringer als die Wahrscheinlichkeit des Einzelfalls; denn wenn das Gesetz gilt, muß unsere Erwartung auch im Einzelfall erfüllt werden, während sie im Einzelfall erfüllt werden kann und das Gesetz doch nicht zu gelten braucht. Gleichwohl wächst die Wahrscheinlichkeit des Gesetzes bei Wiederholung günstiger Beobachtungen ebenso wie die Wahrscheinlichkeit für den Einzelfall. Wir können also die beiden Teile unseres Prinzips jetzt noch einmal für das allgemeine Gesetz formulieren:

a) Je größer die Zahl von Fällen ist, in denen ein Ding der Art A mit einem Ding der Art B verknüpft gefunden worden ist, um so wahrscheinlicher ist es – wenn die Verknüpfung in keinem bekannten Fall ausgeblieben ist –, daß A immer mit B verknüpft ist;

b) unter den gleichen Bedingungen wird eine hinreichend große Zahl von Fällen, in denen A mit B verknüpft ist, es nahezu gewiß machen, daß A immer mit B verknüpft ist, und die wahrscheinliche Gültigkeit dieses allgemeinen Gesetzes wird der Gewißheit beliebig nahekommen.

Man sollte anmerken, daß von Wahrscheinlichkeit immer nur mit Bezug auf gewisse Daten gesprochen werden kann. Hier sind unsere Daten ausschließlich die bekannten Fälle, in denen A und B gemeinsam aufgetreten sind. Es mag andere Daten geben, die man in Betracht ziehen könnte, und die dann die Wahrscheinlichkeit merklich verändern würden. Zum Beispiel könnte jemand, der eine beträchtliche Anzahl von weißen Schwänen gesehen hat, aus unserem Prinzip folgern, es sei aufgrund seiner Daten *wahrscheinlich*, daß alle Schwäne weiß seien, und dies könnte eine ganz korrekte Folgerung sein. Sie wird durch den Umstand, daß einige Schwäne schwarz sind, nicht einfach widerlegt; denn es kann ja durchaus etwas der Fall sein, das wir aufgrund der uns bekannten Daten für unwahrscheinlich halten. Bei den Schwänen könnte man z. B. wissen, daß die Farbe bei vielen Tierarten eine sehr variable

Eigenschaft ist und daß daher Induktionsschlüsse auf die Farbe besonders leicht fehlgehen können. Aber dieses Wissen wäre ein neues Datum und würde keineswegs beweisen, daß wir die Wahrscheinlichkeit aufgrund unserer früheren Daten falsch geschätzt hatten. Die Tatsache, daß die Ereignisse unsere Erwartungen oft enttäuschen, beweist daher nicht, daß unsere Erwartungen in einem bestimmten Falle oder in einer bestimmten Klasse von Fällen nicht *wahrscheinlich* erfüllt werden. Unser Induktionsprinzip kann also durch einen Appell an die Erfahrung wenigstens nicht *widerlegt* werden.
Andererseits kann es durch einen Appell an die Erfahrung auch nicht *bewiesen* werden. Die Erfahrung kann einsichtigerweise das Induktionsprinzip für die bereits beobachteten Fälle bestätigen; was aber die noch nicht beobachteten Fälle betrifft, so ist es allein das Induktionsprinzip selbst, das Schlüsse vom Beobachteten auf das noch nicht Beobachtete rechtfertigen kann. Alle Schlüsse, die wir auf der Grundlage unserer Erfahrung auf die Zukunft oder auf die von uns nicht erlebten Teile der Gegenwart oder der Vergangenheit ziehen, setzen das Induktionsprinzip voraus; wir können daher niemals die Erfahrung benutzen, um das Induktionsprinzip zu beweisen, wenn wir uns nicht einem unendlichen Regreß (dem ständigen Wiederauftauchen des vorausgesetzten Induktionsprinzips) ausliefern wollen. Wir müssen das Induktionsprinzip aufgrund seiner eigenen Evidenz akzeptieren oder den Versuch einer Rechtfertigung unserer Erwartungen für die Zukunft aufgeben. Wenn das Prinzip unhaltbar ist, dann dürfen wir nicht *aus einem vernünftigen Grund* erwarten, daß die Sonne morgen früh aufgehen wird, daß Brot immer nahrhafter sein wird als Steine, daß wir fallen werden, wenn wir vom Dach unseres Hauses springen. Wenn sich uns etwas nähert, das wie unser bester Freund aussieht, dann gibt es keinen Grund für die Annahme, daß dieser Körper nicht vom Geist unseres schlimmsten Feindes oder von einem völlig Unbekannten bewohnt wird. – Unser gesamtes Verhalten beruht auf Assoziationen, die in der Vergangenheit funktioniert haben und von denen wir annehmen, daß sie auch in Zukunft funktionieren werden. Die Zuverlässigkeit dieser Annahmen hängt von der Gültigkeit des Induktionsprinzips ab.

Die allgemeinen Prinzipien der Wissenschaft – wie der Glaube an das Bestehen von Naturgesetzen und die Überzeugung, daß jedes Ereignis eine Ursache haben müsse – sind genauso vom Induktionsprinzip abhängig wie unsere alltäglichen Erwartungen. Man vertraut solchen Prinzipien, weil unzählige Fälle beobachtet worden sind, in denen sie gültig waren, und kein Fall, in dem sie ungültig gewesen wären. Aber das beweist nicht, daß sie auch in Zukunft gelten werden, solange man nicht das Induktionsprinzip voraussetzt.

So beruht alles Wissen, das uns auf der Grundlage der Erfahrung etwas über Dinge sagt, die wir nicht selber erlebt haben, auf einer Überzeugung, die von der Erfahrung weder bestätigt noch widerlegt werden kann und die doch – zumindest in ihrem konkreten Gebrauch – ebenso tief in uns verwurzelt zu sein scheint wie viele Erfahrungstatsachen. Die Existenz und Rechtfertigung solcher Überzeugungen – denn das Induktionsprinzip steht nicht allein, wie wir sehen werden – wirft einige der schwierigsten und umstrittensten Probleme der Philosophie auf. Wir werden im nächsten Kapitel kurz betrachten, was zur Erklärung eines solchen Wissens gesagt werden kann, wie weit sein Umfang reicht, und welchen Grad von Gewißheit es hat.

7 Unsere Erkenntnis allgemeiner Prinzipien

Wir haben im sechsten Kapitel gesehen, daß das Induktionsprinzip für die Gültigkeit aller von der Erfahrung ausgehenden Schlüsse unentbehrlich ist, daß es selbst durch die Erfahrung nicht bewiesen werden kann, und daß es dennoch ohne weiteres von jedermann für wahr gehalten wird, zumindest dann, wenn man es im konkreten Falle anwendet. Mit diesen Eigenschaften steht das Induktionsprinzip nicht allein da. Es gibt noch eine ganze Anzahl anderer Prinzipien, die durch Erfahrung weder bewiesen noch widerlegt werden können, die aber bei Schlüssen aus der Erfahrung gebraucht werden.

Einige dieser Prinzipien haben sogar noch größere Evidenz als das Induktionsprinzip und sind für uns ebenso gewiß wie die Existenz unserer Sinnesdaten. Sie geben uns die Mittel an die Hand, aus dem, was uns in unseren Empfindungen gegeben ist, Schlüsse zu ziehen; und wenn unsere Schlüsse wahr sein sollen, müssen unsere Schlußprinzipien ebenso unbezweifelbar sein wie unsere Daten. Man übersieht diese Schlußprinzipien so leicht, weil sie ganz selbstverständlich sind – wir stimmen der gemachten Voraussetzung zu, ohne überhaupt innezuwerden, daß wir eine Voraussetzung machen. Aber es ist sehr wichtig, daß wir unseren Gebrauch von Schlußprinzipien klären, wenn wir zu einer richtigen Erkenntnistheorie kommen wollen; denn *daß* wir sie besitzen, wirft interessante und schwierige Fragen auf.

Was geschieht, wenn wir ein allgemeines Prinzip erkennen? Nun, zunächst wird uns seine Anwendung in einem konkreten Falle bewußt, und danach wird uns klar, daß die Einschränkung auf diesen Fall unwesentlich ist und wir darüber hinaus auch eine allgemeine Behauptung machen können. Ähnliche Vorgänge sind uns etwa vom Rechenunterricht her ganz geläufig. »Zwei mal zwei ist vier« lernt man zunächst für ein bestimmtes, konkretes Paar von Paaren, und dann für ein anderes, und immer so weiter, bis wir darauf kommen, daß dieser Satz für *jedes beliebige* Paar von Paaren gilt. Entsprechendes gilt für logische Prinzipien. Angenommen, zwei Leute streiten darüber, welches Datum wir heute haben. Der eine sagt: »Du wirst doch wenigstens zugeben, daß heute der 16. sein muß, *wenn* gestern der 15. war!« – »Ja«, sagt der andere, »das gebe ich zu.« – »Und du weißt«, so fährt der erste fort, »daß gestern der 15. war, weil du bei Jones zum Abendessen warst, und in deinem Terminkalender steht, daß das am 15. sein sollte.« – »Ja«, gibt der zweite zu, »dann *ist* heute der 16.!«

Es ist nicht eben schwer, einem solchen Argument zu folgen; und wenn die Prämissen faktisch wahr sind, wird niemand leugnen, daß die Schlußfolgerung ebenfalls wahr sein muß. Aber ihre Wahrheit hängt von einem logischen Prinzip ab, das man wie folgt formulieren kann: »Angenommen es ist bekannt, daß, *wenn* dies wahr ist, jenes auch wahr ist. Angenommen auch, daß dies wahr *ist:* dann folgt, daß jenes auch wahr ist.« Wenn gilt, daß, wenn dies wahr ist, jenes auch wahr ist, sagen wir, daß dies jenes »impliziert« und daß jenes aus diesem »folgt«. Unser Prinzip besagt also, daß wenn dies jenes impliziert und dies wahr ist, dann jenes auch wahr ist. Mit anderen Worten: »Was immer von einem wahren Satz impliziert wird, ist wahr« oder »Was immer aus einem wahren Satz folgt, ist wahr«.

Tatsächlich liegt dieses Prinzip – oder zumindest eine der Formen, in denen es angewandt wird – allen strengen Beweisen zugrunde. Es ist immer dann einschlägig, wenn etwas, das wir glauben, gebraucht wird, um etwas zu beweisen, das wir dann in der Folge glauben. Wenn jemand fragt »Warum sollte ich die Folgerungen gültiger Schlüsse aus wahren Prämissen akzeptieren?«, können wir ihm nur mit einem Appell an unser Prinzip antworten. Es ist in der Tat unmöglich, an der Richtigkeit dieses Prinzips zu zweifeln, und seine Selbstverständlichkeit ist so groß, daß es auf den ersten Blick fast trivial erscheint. Für den Philosophen jedoch sind solche Prinzipien keineswegs trivial; denn sie zeigen, daß wir ein unbezweifelbares Wissen haben können, das nicht auf Sinnesdaten zurückführbar ist.

Unser Prinzip ist nur eines aus einer ganzen Anzahl von evidenten, unmittelbar einleuchtenden logischen Prinzipien. Wenigstens einige dieser Prinzipien müssen angenommen werden, bevor es so etwas wie Schlüsse oder Beweise geben kann. Wenn man einige von ihnen voraussetzt, kann man andere beweisen, obgleich diese anderen – wenn sie noch hinreichend einfach sind – ebenso einleuchtend sind wie die vorausgesetzten. Aus nicht besonders guten Gründen hat man in der traditionellen Logik drei dieser Prinzipien als »Denkgesetze« hervorgehoben.

Bei diesen »Denkgesetzen« handelt es sich um

1. den *Satz der Identität:* »Alles was ist, ist«,

2. den *Satz vom Widerspruch:* »Nichts kann zugleich sein und nicht sein« und

3. um den *Satz vom ausgeschlossenen Dritten:* »Jedes Ding muß entweder sein oder nicht sein.« *

Diese drei Sätze sind Beispiele einleuchtender logischer Prinzipien, aber sie sind keineswegs einleuchtender oder fundamentaler als andere ähnliche Prinzipien, z. B. das vorhin betrachtete, das besagt, daß sich aus wahren Prämissen wahre Folgerungen ergeben. Der Name »Denkgesetze« ist ebenfalls irreführend; denn es kommt nicht darauf an, daß wir in Übereinstimmung mit ihnen denken, sondern es kommt darauf an, daß das Verhalten der Dinge ihnen entspricht, mit anderen Worten: der Punkt ist, daß wir *richtig* denken, wenn wir in Übereinstimmung mit ihnen denken. Aber das ist eine Frage, die sehr weit führt. Wir werden später noch einmal darauf eingehen müssen.

Neben den logischen Prinzipien, mit deren Hilfe wir aus gegebenen Prämissen beweisen können, daß etwas *notwendigerweise* wahr ist, gibt es andere logische Prinzipien, mit deren Hilfe wir aus gegebenen Prämissen beweisen können, daß etwas mit mehr oder minder großer Wahrscheinlichkeit wahr ist. Ein Beispiel für solche Prinzipien – und vielleicht das wichtigste – ist das Induktionsprinzip, das wir im vorigen Kapitel beschrieben haben.

Eine der großen Kontroversen in der Geschichte der Philosophie ist der Streit zwischen den beiden Schulen, die man als

* Russell zitiert hier, gewiß mit Gusto, die »Denkgesetze« der damaligen Schullogik in einer Form, die nahezu sinnlos ist. An einer späteren Stelle erklärt er die Bedeutung. *(Anm. d. Üb.)*

»Empiristen« bzw. »Rationalisten« bezeichnet. Die Empiristen – ihre bedeutendsten Vertreter waren die britischen Philosophen Locke, Berkeley und Hume – behaupteten, daß unser gesamtes Wissen aus der Erfahrung abgeleitet sei. Die Rationalisten – hauptsächlich kontinentaleuropäische Philosophen des siebzehnten Jahrhunderts, vor allem Descartes und Leibniz – behaupteten, daß es neben unserem Erfahrungswissen auch noch bestimmte »angeborene Ideen« und »angeborene Prinzipien« gebe, deren Erkenntnis unabhängig von aller Erfahrung sei. Wir sind jetzt in der Lage, mit einiger Sicherheit über die Berechtigung dieser widerstreitenden Ansichten zu urteilen. Aus den uns mittlerweile bekannten Gründen muß zunächst festgestellt werden, daß wir logische Prinzipien kennen und daß diese selbst nicht aufgrund von Erfahrungen bewiesen werden können, weil jeder Beweis diese Prinzipien schon voraussetzt. In diesem, dem wichtigsten Punkt der Kontroverse, hatten die Rationalisten also recht.
Andererseits wird auch jener Teil unseres Wissens, der von der Erfahrung *logisch* unabhängig ist (in dem Sinne, daß er nicht aufgrund von Erfahrungen bewiesen werden kann), doch erst durch Erfahrung hervorgerufen und verursacht. Erst anläßlich bestimmter Vorkommnisse in unserer Erfahrung werden uns die allgemeinen Gesetze bewußt, die sich in ihren Strukturen exemplifizieren. Es wäre natürlich völlig absurd, anzunehmen, es gebe angeborene Prinzipien in dem Sinne, daß Kinder bei ihrer Geburt schon alles darüber wüßten, was Erwachsene auch wissen. Deshalb würde man heute den Ausdruck »angeboren« nicht mehr verwenden, um unsere Erkenntnis logischer Prinzipien zu beschreiben. »A priori« ist weniger anstößig und wird von den neueren Autoren häufiger gebraucht. Während wir also auch zugeben, daß unser gesamtes Wissen von der Erfahrung hervorgerufen und verursacht wird, halten wir andererseits doch fest, daß ein Teil unseres Wissens *a priori* ist, in dem Sinne, daß die Erfahrung, die uns auf den Gedanken bringt, nicht ausreicht, ihn zu beweisen. Sie dirigiert vielmehr bloß unsere Aufmerksamkeit so, daß wir eine Wahrheit erkennen, ohne jedoch von der Erfahrung den Beweis dieser Wahrheit zu verlangen.
In einem anderen sehr wichtigen Punkt hatten die Empiri-

sten recht und nicht die Rationalisten: Man kann nicht wissen, daß etwas *existiert*, wenn es einem die Erfahrung nicht sagt. Das heißt, wenn wir beweisen wollen, daß etwas uns nicht unmittelbar Bekanntes existiert, muß in unseren Prämissen die Existenz eines oder mehrerer Dinge erwähnt werden, die uns unmittelbar bekannt sind. Unsere Überzeugung, daß der Kaiser von China (im Jahre 1912!) existiert, beruht z. B. auf dem Zeugnis Dritter, und dieses Zeugnis besteht, wenn man es vollkommen analysiert, aus Sinnesdaten, die man sieht oder hört, wenn man etwas liest oder angesprochen wird. Die Rationalisten glaubten, daß sie aus allgemeinen Erwägungen über das, was sein *muß*, die Existenz dieses oder jenes bestimmten Dings in der wirklichen Welt ableiten könnten. Darin scheinen sie sich geirrt zu haben. Alles Wissen, das wir a priori über die Existenz von Dingen erlangen können, scheint nur hypothetisch zu sein: es besagt, daß *wenn* ein Ding existiert, ein anderes auch existieren muß, oder, verallgemeinert, daß *wenn* ein Satz wahr ist, ein anderer auch wahr sein muß. Das wird durch die Prinzipien belegt, die wir bereits behandelt haben, z. B. durch »*wenn* dies wahr ist und dies jenes impliziert, dann ist auch jenes wahr«, oder durch »*wenn* dies und das oft miteinander verknüpft gewesen sind, dann wird wahrscheinlich auch bei der nächsten Gelegenheit das eine nicht ohne das andere zu finden sein«. Der Gültigkeitsbereich und die Aussagekraft apriorischer Prinzipien sind also streng beschränkt. Das Wissen, daß etwas existiert, muß immer – wenigstens zum Teil – von der Erfahrung abhängig bleiben. Wenn uns etwas unmittelbar bekannt ist, wissen wir durch die Erfahrung allein, daß es existiert; wenn wir beweisen, daß etwas existiert, das uns nicht unmittelbar bekannt ist, müssen Erfahrung und apriorische Prinzipien am Beweis beteiligt sein. Unser Wissen ist *empirisch*, wenn es ganz oder zum Teil auf Erfahrung beruht. Daher ist jede Behauptung über die Existenz von etwas empirisch, und die apriorische Erkenntnis von Existierendem ist nur hypothetisch, liefert bloß Verknüpfungen zwischen Dingen, die existieren oder existieren können, beweist aber niemals die Existenz selbst.

Apriorische Erkenntnis ist nicht durchweg logischer Natur wie die, die wir bisher betrachtet haben. Das vielleicht wichtigste

Beispiel einer nichtlogischen apriorischen Erkenntnis ist die Erkenntnis von ethischen Werten. Ich meine damit nicht Urteile darüber, was nützlich oder tugendhaft sei; denn für solche Urteile braucht man empirische Prämissen. Ich meine Urteile darüber, was an sich erstrebens- und wünschenswert ist. Wenn etwas nützlich ist, dann ist es nützlich, weil es einen bestimmten Zweck erreichen hilft; der Zweck aber muß – wenn wir die Kette der Mittel nur weit genug verfolgen – an sich wertvoll sein, und nicht nur deshalb, weil er ein Mittel zu einem noch entfernteren Zweck ist. Und darum sind alle Nützlichkeitsurteile abhängig von Urteilen über das, was an sich wertvoll ist.
Wir urteilen z. B., daß Glück erstrebenswerter ist als Elend, Wissen erstrebenswerter als Unwissenheit, Wohlwollen erstrebenswerter als Haß, usw. Solche Urteile müssen, wenigstens zum Teil, unmittelbar und a priori sein. Wie die apriorischen Urteile, die wir vorhin erörtert haben, können sie durch die Erfahrung *hervorgerufen* werden, ja, sie müssen von der Erfahrung hervorgerufen werden, weil es undenkbar erscheint, daß wir einer Sache Wert zusprechen könnten, von der wir gar keine Erfahrung haben. Aber es ist ziemlich einleuchtend, daß solche Urteile nicht aufgrund von Erfahrung *bewiesen* werden können; denn die Tatsache, daß etwas existiert oder nicht existiert, kann nicht beweisen, daß es gut ist und darum existiert, oder daß es schlecht ist und darum nicht existiert. Die genauere Untersuchung dieser Fragen gehört in die Ethik, und in ihr gilt der Grundsatz, daß es unmöglich ist, das, was sein sollte, aus dem abzuleiten, was ist. Hier kommt es uns nur auf die Feststellung an, daß das Wissen, was an sich wertvoll ist, in genau demselben Sinne a priori ist wie die Logik: Die Wahrheit der Sätze kann in beiden Fällen durch Erfahrung weder bewiesen noch widerlegt werden.
Für die reine Mathematik gilt das gleiche wie für die Logik. Allerdings haben sich die Empiristen beträchtliche Mühe gegeben, den apriorischen Charakter der Mathematik zu widerlegen. Sie haben behauptet, daß die Erfahrung im Falle der Arithmetik ebenso die Quelle unserer Erkenntnis wäre wie im Falle der Geographie. Wenn man zwei Dinge und noch zwei andere Dinge oft beieinander sähe und dann herausfände,

daß sie zusammen vier machten, würde man nach einer Weile durch Induktion zu dem Schluß kommen, daß zwei Dinge und noch einmal zwei Dinge zusammen *immer* vier Dinge ergeben. – Wenn wir tatsächlich auf diese Weise zu der Erkenntnis kämen, daß zwei mal zwei vier ist, müßten wir uns aber bei der Verifizierung dieses Satzes anders verhalten, als wir es wirklich tun. Gewiß, es muß einem eine Reihe von Beispielen vorgeführt werden, bevor man abstrakt an »zwei« denkt statt an zwei Münzen, zwei Bücher, zwei Menschen usw. Aber sobald wir die irrelevanten Eigenschaften aus unserem Denken ausgeschieden haben, sind wir in der Lage, den allgemeinen Satz, daß zwei mal zwei vier ist, *einzusehen;* jeder konkrete Fall wird zu einem *typischen* Beispiel für die Gültigkeit dieses Satzes, und die Überprüfung weiterer Einzelfälle wird überflüssig.
Dieselbe Sachlage zeigt sich in der Geometrie. Wenn wir eine Eigenschaft für *alle* Dreiecke beweisen wollen, zeichnen wir irgendein Dreieck und demonstrieren unseren Satz an dieser Figur. Wir vermeiden dabei, irgendeine Eigenschaft des Dreiecks zu benutzen, die es nicht mit allen übrigen Dreiecken teilt, und so kommen wir von einem konkreten Einzelfall zu einem allgemeinen Resultat. Übrigens nimmt unsere Gewißheit, daß zwei mal zwei vier ist, ja auch gar nicht zu, wenn uns neue Belege für diesen Satz vorgeführt werden; denn sobald wir seine Wahrheit eingesehen haben, sind wir uns unserer Sache so sicher, daß eine weitere Bestätigung einfach unmöglich wird. Der Satz »zwei mal zwei ist vier« wird von einem Gefühl der *Notwendigkeit* begleitet, das wir selbst bei den bewährtesten empirischen Verallgemeinerungen nicht haben. Solche Verallgemeinerungen bleiben doch immer »bloße Tatsachen«: wir fühlen, daß es eine Welt geben könnte, in der sie nicht gelten, auch wenn sie in der wirklichen Welt gelten. Im Gegensatz dazu sagt uns unser Empfinden, daß zwei mal zwei in jeder möglichen Welt vier sein müsse: dies ist keine bloße Tatsache, sondern eine Notwendigkeit, der sich alles, was wirklich und möglich ist, anpassen muß.
Die Situation wird vielleicht etwas klarer, wenn wir eine echte empirische Verallgemeinerung wie »alle Menschen sind sterblich« betrachten. Es ist klar, daß wir diesen Satz glauben, weil

bisher noch kein Mensch ein bestimmtes Alter überschritten hat, und weil es außerdem physiologische Gründe für die Annahme zu geben scheint, daß sich ein Organismus wie der menschliche Körper früher oder später einmal abnutzen muß. Wenn wir davon einmal absehen und uns nur daran halten, daß Menschen erfahrungsgemäß sterben, dann ist es klar, daß wir nicht zufrieden wären, wenn wir nur einen einzigen Fall vor Augen hätten, in dem ein Mensch einmal gestorben ist. Im Falle von »zwei mal zwei ist vier« dagegen überzeugt uns ein einziges Beispiel – wenn es nicht unklar ist –, daß dies in jedem Falle gelten muß. Bei längerem Nachdenken können uns auch Zweifel kommen – ganz gleich, wie geringfügig sie sind –, ob denn wirklich *alle* Menschen sterblich sind. Man kann sich das verdeutlichen, wenn man versucht, sich zwei verschiedene Welten vorzustellen: eine, in der es Menschen gibt, die nicht sterblich sind, und eine andere, in der zwei mal zwei fünf ist. Wenn uns Swift mit dem Geschlecht der Struldbugs bekannt macht, die niemals sterben, so läßt sich unsere Phantasie das gefallen. Aber eine Welt, in der zwei mal zwei fünf ist, ist offenbar eine ganz andere Sache. Wir fühlen, daß eine solche Welt, wenn es sie gäbe, das ganze Gebäude unserer Erkenntnis zum Einsturz bringen und unter den Trümmern ungeordneten Zweifels begraben müßte.

Bei einfachen mathematischen Sätzen wie »zwei mal zwei ist vier« und auch bei vielen Sätzen der Logik können wir den allgemeinen Satz kennen, ohne ihn aus Einzelfällen abzuleiten. Wir brauchen allerdings in der Regel ein Beispiel, um uns klarzumachen, was der allgemeine Satz bedeutet. Und darum ist auch der Prozeß der *Deduktion*, der vom Allgemeinen zum Allgemeinen oder vom Allgemeinen zum Besonderen führt, ebenso nützlich wie der Prozeß der *Induktion*, der vom Besonderen zum Besonderen oder vom Besonderen zum Allgemeinen führt. Es ist ein alter Streitpunkt unter Philosophen, ob die Deduktion jemals eine *neue* Erkenntnis liefern könne. Wir sehen, daß sie das wenigstens in einigen Fällen kann: Wenn wir bereits wissen, daß zwei mal zwei vier ergibt, und wenn wir weiter wissen, daß Brown und Jones zwei sind und ebenso Robinson und Smith, dann können wir deduzieren, daß Brown, Jones, Robinson und Smith zusammen vier sind. Das ist eine neue Erkenntnis, die in unseren Prämissen nicht enthalten ist, denn der allgemeine Satz »Zwei mal zwei ist vier« sagt nichts über Leute wie Brown, Jones, Robinson und Smith, und die anderen Prämissen sagen nichts darüber, daß es vier von diesen Leuten gibt, während der abgeleitete Satz uns beides sagt.

Aber die Neuheit der Erkenntnis fällt viel weniger auf, und die Erkenntnis selbst ist weniger gesichert, wenn man das Standardbeispiel für eine Deduktion betrachtet, das in allen Logikbüchern vorkommt, nämlich: »Alle Menschen sind sterblich; Sokrates ist ein Mensch, folglich ist Sokrates sterblich.« Was wir in diesem Falle vernünftigerweise nicht bezweifeln können, ist, daß gewisse Menschen A, B, C sterblich waren, weil sie nämlich in der Tat gestorben sind. Wenn Sokrates einer von diesen Menschen war, wäre es dumm, den ganzen Umweg über »alle Menschen sind sterblich« zu machen, bloß um zu dem Schluß zu kommen, daß Sokrates *wahrscheinlich* sterblich ist. Wenn Sokrates nicht zu den Menschen gehört, von denen unsere Induktion ausgegangen ist, ist es immer noch besser, direkt von unseren A, B, C auf Sokrates zu schließen, als den Umweg über »alle Menschen sind sterblich« zu machen. Denn die Wahrscheinlichkeit, daß Sokrates sterblich ist, ist aufgrund unserer Daten immer noch größer als die Wahrscheinlichkeit, daß alle Menschen sterblich sind. (Das ist evident: denn wenn alle Menschen sterblich sind, ist auch Sokrates sterblich; aber wenn Sokrates sterblich ist, folgt noch lange nicht, daß alle Menschen sterblich sind.) Wir erreichen also unsere Folgerung, daß Sokrates sterblich ist, mit größerer Sicherheit, wenn wir einen reinen Induktionsschluß verwenden, statt den Umweg über »alle Menschen sind sterblich« und die Deduktion zu machen.

Hier zeigt sich der Unterschied zwischen a priori erkannten allgemeinen Sätzen wie »zwei mal zwei ist vier« und empirischen Verallgemeinerungen wie »alle Menschen sind sterblich«. Bei den ersteren ist die Deduktion die angemessene Form des Schlusses, während bei den zweiten die Induktion aus theoretischen Erwägungen vorzuziehen ist und genauere Folgerungen liefert, denn empirische Verallgemeinerungen sind weniger gesichert als die in ihnen zusammengefaßten Einzelfälle.

Wir haben gesehen: Es gibt Sätze, die wir a priori erkennen, und zu ihnen gehören die Sätze der Logik und der reinen Mathematik ebenso wie die Grundsätze der Ethik. Die nächste Frage ist: Wie ist eine solche Erkenntnis möglich? Und insbesondere: Wie ist eine Erkenntnis allgemeiner Sätze in den Fällen möglich, wo wir nicht alle Einzelfälle überprüft haben und sie überhaupt nicht überprüfen können, weil ihre Anzahl unendlich groß ist? Diese Fragen, die zuerst der deutsche Philosoph Kant (1724–1804) in den Vordergrund des Interesses gestellt hat, sind schwierig und von großer historischer Bedeutung.

8 Wie apriorische Erkenntnis möglich ist

Immanuel Kant gilt im allgemeinen als der größte Philosoph der Neuzeit. Obgleich er in der Epoche des Siebenjährigen Krieges und der Französischen Revolution lebte, unterbrach er selbst nie seine philosophische Lehrtätigkeit an der Universität von Königsberg in Ostpreußen. Seine hervorragendste Leistung war die Erfindung der von ihm so genannten »kritischen« Philosophie, die als Gegebenheit annahm, daß es Erkenntnis verschiedener Art gibt, fragte, wie denn solche Erkenntnis möglich sei, und aus dem Ergebnis dieser Untersuchung zahlreiche metaphysische Resultate über die Beschaffenheit der Welt ableitete. Daß diese Resultate gültig waren, ist keineswegs erwiesen. Aber Kant verdient für zwei Dinge ganz ohne Zweifel Anerkennung: erstens für die Beobachtung, daß wir apriorische Erkenntnis besitzen, die nicht bloß »analytisch« ist (d. h. die nicht bloß aus Wahrheiten besteht, deren Verneinung zu einem logischen Widerspruch führen würde), und zweitens dafür, daß er die Bedeutung der Erkenntnistheorie für die Philosophie deutlich gemacht hat.

Vor Kant glaubte man, daß jedes apriorische Wissen »analytisch« sein müsse. Was dieses Wort bedeutet, kann man sich am besten durch Beispiele klarmachen. Wenn ich sage »Ein Mann mit Glatze ist ein Mann«, »Eine ebene Figur ist eine Figur« oder »Ein schlechter Dichter ist ein Dichter«, dann fälle ich rein analytische Urteile: der Gegenstand, über den gesprochen wird, besitzt wenigstens zwei Eigenschaften, von denen man eine hervorhebt und behauptet. Unsere Beispiele sind trivial, solche Sätze würde in der Praxis wohl niemand aussprechen, es sei denn ein Demagoge, der auf eine Sophisterei hinauswill. Man nennt sie »analytisch«, weil man das Prädikat durch bloße Analyse des Subjekts erhält. Vor Kant dachte man, daß alle Aussagen, deren Wahrheit uns a priori gewiß sein kann, so beschaffen wären: daß es in ihnen allen ein Prädikat gebe, das selbst nur einen Teil des Subjektbegriffs, von dem es ausgesagt wird, bilde. Wenn dem so wäre, würden wir uns bei dem Versuch, etwas, das a priori erkannt werden kann, zu bestreiten, in Widersprüche verwickeln. »Ein Mann mit Glatze ist nicht kahl« würde ein und demselben Mann die Kahlheit gleichzeitig zusprechen und absprechen und wäre daher widersprüchlich. Den Philosophen vor Kant genügte also der Satz vom Widerspruch, der besagt, daß nichts eine bestimmte Eigenschaft gleichzeitig haben und nicht haben kann, um die Wahrheit unseres gesamten apriorischen Wissens zu begründen.

Unter den Vorgängern Kants bemerkte Hume (1711–76), der die herrschende Meinung über die apriorische Erkenntnis teilte, daß in vielen Fällen – vor allem im Fall der Verknüpfung von Ursache und Wirkung –, in denen man früher die entsprechenden Aussagen zu den analytischen Wahrheiten gezählt hatte, in Wirklichkeit eine synthetische Verknüpfung vorlag. Vor Hume hatten zumindest die Rationalisten angenommen, daß die Wirkung logisch aus der Ursache abgeleitet werden könnte, wenn unser Wissen nur für diesen Zweck ausreichend wäre. Hume behauptete – mit Recht, wie man jetzt überall zugeben würde –, daß so etwas unmöglich sei. Er zog daraus den weitaus problematischeren Schluß, daß man über die Verknüpfung von Ursache und Wirkung a priori überhaupt nichts wissen könne. Kant, der in der rationalistischen Tradition aufgewachsen war, wurde durch die Skepsis Humes aufs äußerste beunruhigt und versuchte, ihr eine Antwort entgegenzusetzen. Er merkte, daß nicht nur die Verknüpfung von Ursache und Wirkung, sondern auch alle Sätze der Arithmetik und Geometrie »synthetisch« (d. h. nicht analytisch) sind: bei all diesen Sätzen gibt es keine Analyse des Subjekts, die uns zum Prädikat führen kann. Sein Standardbeispiel war der Satz »7 + 5 = 12«. Er bemerkte sehr richtig, daß 7 und 5 zusammengezählt werden müssen, um 12 zu ergeben; die Vorstellung »12« ist weder in ihnen noch in der Vorstellung, daß man sie addiert, *enthalten*. Er folgerte daraus, daß die ganze reine Mathematik synthetisch sei, obgleich sie a priori gilt; und diese Folgerung warf ein neues Problem auf, dessen Lösung er sich zu finden bemühte.

Die Frage, die Kant an den Anfang seiner Philosophie stellte, nämlich »Wie ist reine Mathematik möglich?«, ist interessant und schwierig, und jede nicht bloß skeptische Philosophie muß eine Antwort auf sie finden. Wir haben schon gesehen, daß die Antwort der reinen Empiristen – unser mathematisches Wissen sei durch Induktion aus der Beobachtung von Einzelfällen abgeleitet – aus zwei Gründen unzureichend ist: erstens kann das Induktionsprinzip nicht selbst durch Induktion bewiesen werden, und zweitens ist evident, daß man die Gültigkeit mathematischer Sätze wie »zwei mal zwei ist vier« erkennen kann, indem man nur ein einziges Beispiel betrachtet; unsere Gewißheit nimmt durch die Aufzählung anderer Fälle, in denen der Satz gegolten hat, um nichts zu. Unsere Erkenntnis allgemeiner mathematischer Sätze (und das gilt auch für die Logik) muß also auf eine andere Weise erklärt werden als unsere (ja nur wahrscheinlich gültige) Erkenntnis empirischer Verallgemeinerungen wie »Alle Menschen sind sterblich«.

Das Problem entsteht dadurch, daß diese Erkenntnis allgemein ist, während die Erfahrung nur Einzeldinge kennt. Es erscheint merkwürdig, daß wir imstande sein sollten, einige Wahrheiten im voraus über Dinge zu wissen, die uns in unserer Erfahrung noch nicht begegnet sind; aber es ist kaum zu bezweifeln, daß Logik und Arithmetik auch auf diese Dinge anwendbar sind. Wir wissen nicht, wer London in hundert Jahren bewohnen wird, aber wir wissen, daß auch dann zwei Einwohner und noch zwei Einwohner zusammen vier Einwohner ergeben werden. Diese scheinbare Fähigkeit, Wahrheiten über Dinge vorwegzunehmen, die – unserer Erfahrung entzogen – noch in der Zukunft liegen, ist gewiß erstaunlich. Kants Lösung des Problems ist interessant, obschon sie meiner Meinung nach nicht haltbar ist. Sie ist sehr schwierig darzustellen und wird außerdem von verschiedenen Philosophen verschieden interpretiert. Wir können sie hier deshalb nur in den gröbsten Umrissen skizzieren, und auch das wird uns von manchen Vertretern des Kantschen Systems als Irreführung angekreidet werden.

Kant behauptete, daß alle unsere Erfahrung zwei Bestandteile enthalte, von denen einer dem Gegenstand (d. h. dem, was wir »materiellen« bzw. »physikalischen« Gegenstand genannt haben) zuzuschreiben sei und der andere uns selbst. Wir haben bei der Erörterung der Materie und der Sinnesdaten gesehen, daß der materielle Gegenstand von den mit ihm verknüpften Sinnesdaten unterschieden werden muß, und daß die Sinnesdaten als die Ergebnisse einer Wechselwirkung zwischen uns selbst und dem Gegenstand aufgefaßt werden müssen. Soweit stimmen wir mit Kant überein. Was Kant jedoch eigentümlich ist, ist die Art, in der er unseren eigenen Anteil und den Anteil des Gegenstands bemißt. Nach ihm ist das Rohmaterial der Empfindungen – Farbe, Härte usw. – dem Gegenstand zuzuschreiben, und wir steuern die Anordnung in Raum und Zeit bei, und außerdem alle Beziehungen zwischen Sinnesdaten, die sich aus Vergleichen ergeben, oder daraus, daß man eines als Ursache des anderen auffaßt, oder was es sonst dergleichen noch gibt. Der Hauptgrund für seine Ansicht ist, daß wir apriorisches Wissen über Raum, Zeit, Kausalität und Vergleiche zu haben scheinen, während wir über das Rohmaterial der Empfindungen a priori nichts wissen. Wir können sicher sein, so sagt er, daß alles, was uns jemals in unserer Erfahrung begegnen wird, die Eigenschaften haben muß, die unser apriorisches Wissen ihm zuschreibt; denn diese Eigenschaften haben ihren Ursprung in uns selbst, und deshalb kann nichts in unserer Erfahrung vorkommen, ohne diese Eigenschaften anzunehmen.

Den materiellen Gegenstand, den er »Ding an sich« [1] nennt, hält Kant für wesentlich unerkennbar; was erkannt werden kann, ist der uns in unserer Erfahrung erscheinende Gegenstand, den er »Phänomenon« nennt. Das Phänomenon, ein Gemeinschaftsprodukt unserer selbst und des Dings an sich, hat mit Bestimmtheit die Eigenschaften, die wir selbst beisteuern; es muß unserem apriorischen Wissen entsprechen. Dieses Wissen gilt für jede wirkliche und mögliche Erfahrung; man darf aber gerade deshalb nicht erwarten, daß es auch außerhalb der Erfahrung anwendbar sei. Obgleich es also apriorisches Wissen gibt, können wir nichts über das Ding an sich, oder was immer sonst kein wirklicher oder möglicher Gegenstand

1 Kants »Ding an sich« ist *der Definition nach* mit dem materiellen Gegenstand identisch; es ist nämlich die Ursache von Empfindungen. Hinsichtlich der aus der Definition abgeleiteten Eigenschaften sind die beiden allerdings nicht identisch; denn Kant behauptete (obgleich er damit eine Inkonsequenz bei der Verwendung von »Ursache« in Kauf nahm), daß wir wissen können, daß keine der Kategorien auf das »Ding an sich« anwendbar ist.

unserer Erfahrung ist, wissen. Auf diese Weise versucht Kant, die Behauptungen der Rationalisten mit den Einwänden der Empiristen zu versöhnen.

Wir wollen von verschiedenen Argumenten, die man gegen Kants Philosophie vorbringen könnte, absehen und uns auf einen Einwand konzentrieren, der jeden Versuch, das Problem der apriorischen Erkenntnis auf Kants Weise zu lösen, unmöglich zu machen scheint. Was erklärt werden muß, ist unsere Gewißheit, daß die Tatsachen immer der Logik und der Arithmetik gehorchen werden. Wenn man sagt, daß Logik und Arithmetik unsere eigene Zutat zu den Phänomenen seien, erklärt dies nichts. Unsere menschliche Natur gehört ebenso zu den Tatsachen der existierenden Welt wie alles andere, und es kann keine Gewißheit geben, daß sie unverändert bleiben wird. Wenn Kant recht hat, könnte es passieren, daß unser Wesen sich morgen so verändert, daß aus zwei mal zwei fünf wird. Diese Möglichkeit scheint ihm nie in den Sinn gekommen zu sein, und doch zerstört sie die Gewißheit und universale Gültigkeit der Sätze der Arithmetik, um die es ihm ging, ganz und gar. Gewiß, diese Möglichkeit ist formell unverträglich mit der Kantschen Auffassung, daß die Zeit selbst eine Form ist, die das Subjekt den Erscheinungen aufprägt, so daß unser wirkliches Selbst nicht in der Zeit ist und kein morgen kennt. Aber er wird dennoch annehmen müssen, daß die zeitliche Ordnung der Erscheinungen durch Eigenschaften dessen, was hinter den Erscheinungen liegt, bestimmt wird; und das genügt im wesentlichen schon für unseren Einwand.

Bei genauerem Nachdenken will es uns überdies so scheinen, daß – wenn unsere Ansichten über Arithmetik überhaupt wahr sind – sie auf alle Dinge gleichermaßen anwendbar sein müssen, ob wir nun an sie denken oder nicht. Zwei materielle Gegenstände und zwei andere materielle Gegenstände machen zusammen vier materielle Gegenstände, selbst wenn materielle Gegenstände in unserer Erfahrung nicht vorkommen. Diese Behauptung liegt sicherlich im Bereich dessen, was wir meinen, wenn wir »zwei mal zwei ist vier« sagen. Ihre Wahrheit ist ebenso unbestreitbar wie die Wahrheit der Behauptung, daß zwei Phänomena und noch zwei Phänomena zusammen vier Phänomena ergeben. Kants Lösung schränkt also den Geltungsbereich apriorischer Sätze unzulässig ein, abgesehen davon, daß es ihm nicht gelingt, ihre Gewißheit zu erklären.

Auch wenn wir von den speziellen Auffassungen Kants absehen, bleibt es noch eine unter Philosophen weitverbreitete Ansicht, daß jedes Apriori geistig, bewußtseinshaft, sein müsse, etwas, das mit der Art und Weise, wie wir denken müssen, mehr zu tun habe als mit irgendwelchen Tatsachen der Außenwelt. Wir haben im letzten Kapitel die drei Prinzipien betrachtet, die üblicherweise »Denkgesetze« genannt werden. Zu der Vorstellung, die dieser Bezeichnung zugrunde liegt, kommt man ganz zwanglos und natürlich; aber es gibt starke Gründe für die Vermutung, daß sie falsch ist. Nehmen wir zum Beispiel den Satz vom Widerspruch. Er lautet in der üblichen Formulierung »Nichts kann zugleich sein und nicht sein«, was bedeuten soll, daß nichts gleichzeitig eine bestimmte Eigenschaft haben und nicht haben kann. Wenn z. B. ein Baum eine Buche ist, kann er nicht gleichzeitig keine Buche sein; wenn mein Tisch rechteckig ist, kann er nicht gleichzeitig nicht rechteckig sein, usw.

Was uns dazu veranlaßt, dieses Prinzip ein *Denk*gesetz zu nennen, ist der Umstand, daß wir uns von seiner Notwendigkeit durch Denken und nicht durch Beobachtung der Außenwelt überzeugen. Wenn wir einmal gesehen haben, daß ein Baum eine Buche ist, brauchen wir nicht noch einmal hinzusehen, um sicher zu sein, daß er nicht auch gleichzeitig keine Buche ist; der Gedanke allein gibt uns zu erkennen, daß so etwas unmöglich ist. Trotzdem ist die Folgerung, daß der Satz vom Widerspruch ein Denkgesetz ist, falsch. Was wir glauben, wenn wir an den Satz vom Widerspruch glauben, ist nicht, daß unser Bewußtsein so konstruiert ist, daß es den Satz vom Widerspruch für wahr halten muß. Diese Ansicht ist erst das Ergebnis einer psychologischen Reflexion, die den Glauben an den Satz vom Widerspruch schon voraussetzt. Der Glaube an den Satz vom Widerspruch betrifft Dinge, nicht bloß Gedanken. Wir glauben z. B. nicht, daß wir nicht gleichzeitig *denken* könnten, ein Baum wäre eine Buche und auch keine Buche. Wir glauben, daß, wenn der Baum eine Buche *ist*, er nicht gleichzeitig *keine* Buche *sein* kann. Der Satz vom Widerspruch ist also ein Satz über Dinge und nicht bloß über Gedanken; und wenn auch der Glaube an den Satz vom Widerspruch ein Gedanke ist, so ist doch der Satz vom Widerspruch selbst kein Gedanke sondern ein Faktum, das die Dinge der Außenwelt betrifft. Wenn das, was wir glauben, wenn wir an den Satz vom Widerspruch glauben, nicht auf die Dinge der Außenwelt zuträfe, würde der Umstand, daß wir gezwungen sind, so zu *denken*, nicht garantieren, daß der Satz vom Widerspruch nicht falsch sein kann, und das zeigt, daß es sich bei diesem Satz nicht um ein *Denk*gesetz handeln kann.

Ein ähnliches Argument läßt sich für jedes beliebige andere apriorische Urteil finden. Wenn wir sagen »zwei mal zwei ist vier«, dann sagen wir nichts über unsere Gedanken, sondern etwas über alle wirklichen oder möglichen Paare. Es ist zwar wahr, daß unser Bewußtsein so beschaffen ist, daß wir glauben, zwei mal zwei sei vier; aber das ist ganz entschieden nicht das, was wir behaupten, wenn wir behaupten »zwei mal zwei ist vier«. Unser apriorisches Wissen – soweit es nicht ein eingebildetes Wissen ist – ist also nicht bloß ein Wissen von der Konstitution unseres Bewußtseins, sondern läßt sich auf alles anwenden, was in der Welt anzutreffen ist, auf das nicht zum Bewußtsein Gehörende ebensogut wie auf das Bewußtsein selbst.

Tatsächlich hat es den Anschein, als ob unsere apriorische Erkenntnis es mit Dingen zu tun hat, die nicht eigentlich *existieren*, weder in der Welt des Bewußtseins noch in der Außenwelt. Es handelt sich dabei um Dinge, die wir durch Redeteile bezeichnen können, die keine Substantive sind, so etwas wie Eigenschaften und Beziehungen. Angenommen z. B. ich befinde mich in meinem Zimmer. Ich existiere; mein Zimmer existiert auch; aber existiert »in«? Und doch hat das Wort »in« offenbar eine Bedeutung; es bezeichnet eine Beziehung, die zwischen mir und meinem Zimmer besteht. Diese Beziehung ist etwas, obwohl wir nicht sagen können, daß sie *in demselben Sinne* existiert wie ich und mein Zimmer. Die Beziehung »in« ist etwas, über das wir denken und das wir verstehen können; denn wenn wir sie nicht verstehen könnten, würden wir auch den Satz »Ich befinde mich in meinem Zim-

mer« nicht verstehen können. Viele Philosophen, die darin Kant gefolgt sind, haben behauptet, daß Beziehungen ein Erzeugnis des Bewußtseins seien, daß es zwischen den Dingen an sich keine Beziehungen gebe, sondern daß erst das Bewußtsein sie in einem Akt des Denkens zusammenbringe und dadurch die Beziehungen hervorbringe, die es ihnen dann zuschreibt.
Dawider dürfte man jedoch ähnliche Einwände machen können, wie wir sie gegen Kant vorgebracht haben. Es ist wohl klar, daß nicht das Denken die Wahrheit des Satzes »Ich befinde mich in meinem Zimmer« erzeugt. Es könnte ja sein, daß sich in meinem Zimmer ein Ohrwurm befindet und daß weder ich noch der Ohrwurm noch sonst jemand diese Wahrheit erkannt hat; denn diese Wahrheit betrifft nur den Ohrwurm und das Zimmer und hängt von nichts anderem ab. Wir müssen den Beziehungen daher – wie wir im nächsten Kapitel ausführlicher sehen werden – eine Welt einräumen, die weder die Welt des Bewußtseins noch die Außenwelt ist. Diese Welt ist für die Philosophie und besonders für die Probleme der apriorischen Erkenntnis von größter Bedeutung. Im nächsten Kapitel werden wir auf ihre Eigenschaften und ihre Bedeutung für die Fragen, mit denen wir uns befaßt haben, eingehen.

9 Die Welt der Universalien

Wir haben gesehen, daß solchen Dingen wie Beziehungen offenbar ein Sein zukommt, das vom Sein materieller Dinge verschieden ist und sich auch vom Sein des Bewußtseins und der Sinnesdaten unterscheidet. In diesem Kapitel müssen wir überlegen, um was für eine Art von Sein es sich dabei handeln kann und welchen Dingen dieses Sein zukommt. Wir wollen mit der letzten Frage anfangen.

Das Problem, mit dem wir es jetzt zu tun haben, ist sehr alt; denn schon Platon hat es in die Philosophie eingeführt. Platons »Ideenlehre« war ein Versuch, genau dies Problem zu lösen, und meiner Meinung nach ist sie immer noch einer der erfolgreichsten Versuche, die auf diesem Gebiet bisher gemacht worden sind. Die Theorie, die im folgenden vertreten werden soll, geht in ihren wesentlichen Zügen auf Platon zurück und ist nur in den Punkten verändert worden, wo sich das im Lauf der Zeit als notwendig herausgestellt hat.

Für Platon stellte sich das Problem etwa so: nehmen wir einen Begriff, etwa »Gerechtigkeit«. Wenn wir uns fragen, was Gerechtigkeit ist, dann ist es ganz natürlich, wenn wir zunächst eine Reihe von gerechten Handlungen betrachten, in der Absicht, zu entdecken, was ihnen allen gemeinsam ist. Irgendwie müssen sie alle an einem gemeinsamen Wesen teilhaben, das in allem, was gerecht ist, anzutreffen ist und sonst nirgendwo. Dieses gemeinsame Wesen, das die betrachteten Handlungen zu gerechten Handlungen macht, muß die Gerechtigkeit selber sein, das reine Wesen, das durch Vermischung mit den Tatsachen des gewöhnlichen Lebens die Vielfalt der gerechten Handlungen hervorbringt. Ähnlich steht es mit jedem anderen Wort, das sich auf Dinge des gewöhnlichen Lebens anwenden läßt, z. B. »Schwärze«. Das Wort läßt sich auf eine Reihe von Einzeldingen anwenden, weil sie alle eine gemeinsame Natur, ein gemeinsames Wesen haben. Dieses reine Wesen nennt Platon »Idee« oder »Form«. (Und man darf nicht etwa meinen, »Ideen« in diesem Sinne existierten im Bewußtsein; das Bewußtsein kann sie nur erfassen.) Die Idee »Gerechtigkeit« ist nicht mit irgend etwas Gerechtem identisch; sie ist etwas anderes als Einzeldinge, etwas, an dem Einzeldinge nur teilhaben. Sie kann daher auch nicht in der Welt der Sinne existieren. Außerdem ist sie nicht veränderlich oder vergänglich wie die Gegenstände unserer Wahrnehmungswelt; sie ist sich ewig selbst gleich, unveränderlich und unzerstörbar.

So kommt Platon zu einer übersinnlichen Welt, die wirklicher ist als die gemeine Welt der Sinne, und die allein der Welt der Sinne jenen schwachen Abglanz von Realität verleiht, den man in ihr finden mag. Die wahrhaft wirkliche Welt ist für Platon die Welt der Ideen; denn was immer wir auch über die Dinge der Sinnenwelt zu sagen versuchen, es gelingen uns immer nur Aussagen darüber, an welchen Ideen sie teilhaben; und diese Ideen machen ihr Wesen aus. Von hier aus noch ein Schritt und wir sind im Mystizismus: dann hoffen wir vielleicht, daß wir die Ideen in mystischer Erleuchtung *sehen* können, so wie wir jetzt die Sinnendinge sehen; und vielleicht bilden wir uns auch ein, daß die Ideen im Himmel existieren. Eine solche mystische Ausartung dieses Gedankens liegt sehr nahe; doch sein Fundament bildet die Logik, und von diesem Fundament aus wollen wir ihn betrachten.

Das Wort »Idee« ist im Laufe der Zeit viele Verbindungen eingegangen, die ganz irreführend sind, wenn man sie auf Platons »Ideen« überträgt. Wir wollen deshalb statt »Idee« einen Ausdruck aus dem scholastischen Latein gebrauchen, nämlich *»Universale«*, um das zu bezeichnen, was Platon meinte. Das Wesen des von Platon Gemeinten ist, daß es einen Gegensatz zu den uns durch die Sinne gegebenen Einzeldingen bildet. Wir nennen alles, was uns in der Wahrnehmung gegeben ist, oder was so beschaffen ist wie die Wahrnehmungsgegenstände, etwas *Partikulares.* Im Gegensatz zu diesen partikularen Dingen ist ein Universale etwas, das vielen Einzeldingen gemeinsam sein kann und jene Eigenschaften hat, die – wie wir gesehen haben – Gerechtigkeit und Schwärze von gerechten Handlungen und schwarzen Dingen unterscheiden.

Wenn wir die Wörter der Umgangssprache betrachten, finden wir – grob gesprochen –, daß Eigennamen für Partikulares, für Einzeldinge stehen, während die übrigen Substantive, die Adjektive, Präpositionen und Verben für Universalien stehen. Pronomen stehen für Einzeldinge, sind aber mehrdeutig: nur durch den Kontext oder die Umstände der Äußerung wissen wir, welches Einzelding gemeint ist. Das Wort »jetzt« steht für etwas Partikulares, nämlich den gegenwärtigen Augenblick, ist aber auch mehrdeutig wie die Pronomen, weil die Gegenwart nicht stillhält.

Man sieht leicht, daß sich kein Satz bilden läßt, in dem nicht wenigstens ein Wort ein Universale bezeichnet. Am nächsten käme einem solchen Satz noch eine Aussage wie »Ich mag dies.« Aber selbst hier bezeichnet »mag« etwas Universales, denn ich mag vielleicht auch andere Dinge, und andere Leute mögen vielleicht auch etwas. Also enthalten alle Wahrheiten Universalien, und jede Erkenntnis von Wahrheiten setzt die Bekanntschaft mit Universalien voraus.

Wenn man bedenkt, daß fast alle Wörter im Wörterbuch Universalien bezeichnen, mutet es seltsam an, daß kaum jemand – ausgenommen Philosophen und ihre Schüler – merkt, daß es so etwas wie Universalien gibt. Wir kümmern uns normalerweise gar nicht um die Wörter eines Satzes, die nicht Einzeldinge bezeichnen, und wenn man uns dazu zwingt, dann denken wir bei den Universalien zuerst an eins der Einzeldinge, in denen sie sich manifestieren. Wenn wir z. B. den Satz hören »Karl I. wurde der Kopf abgeschlagen«, dann denken wir vielleicht an Karl I., an seinen Kopf und an die Handlung, die darin bestand, seinen Kopf abzuschlagen: alles partikulare Dinge. Aber es kommt uns nicht bei, über die Bedeutung des Wortes »Kopf« oder über die Bedeutung von »abschlagen« – beides Universalien – nachzudenken. Für unser Empfinden sind diese Wörter unvollständig und substanzlos; scheinbar bedürfen sie eines konkreten Kontexts, bevor wir etwas mit ihnen anfangen können. Deshalb entgehen uns die Universalien, solange wir nicht anfangen, uns mit Philosophie zu beschäftigen.

Selbst bei den Philosophen haben im großen und ganzen nur die Universalien Beachtung gefunden, die durch Adjektive oder Substantive bezeichnet werden; während die Universalien, die durch Verben oder Präpositionen bezeichnet werden, meist übersehen wurden. Dieser Mangel an Beachtung hat in der Philosophie ganz außerordentliche Auswirkungen gehabt; man übertreibt kaum, wenn man sagt, daß die Metaphysik seit Spinoza von ihm beherrscht worden ist. Wie es dazu kam, läßt sich in groben Umrissen etwa so beschreiben: Adjektive und Substantive (die für Universalien stehen) drücken im allgemeinen Eigenschaften einzelner Dinge aus, während Präpositionen und Verben meist Beziehungen zwischen zwei oder mehr Dingen zum Ausdruck bringen. Die Vernachlässigung von Präpositionen und Verben führte so zu der Ansicht, daß in jedem Satz einem Einzelding eine Eigenschaft zugeschrieben wird, und daß es sich nicht etwa um den Ausdruck einer Beziehung zwischen zwei oder mehr Dingen handeln kann. Daraus folgerte man, daß es so etwas wie Beziehungen zwischen Dingen letzten Endes nicht geben könne, und weiter: entweder könne es überhaupt nur ein einziges Etwas geben, oder wenn es mehrere Dinge gebe, dann könne es zwischen diesen keine Wechselwirkung geben; denn jede Wechselwirkung wäre eine Beziehung, und Beziehungen seien ja unmöglich.

Die erste Auffassung, die von Spinoza vertreten worden ist und gegenwärtig von F. H. Bradley (1846–1924) vertreten wird, nennt man *Monismus*, die zweite, die Leibniz vertreten hat und die gegenwärtig nicht weit verbreitet ist, *Monadismus*, weil Leibniz seine voneinander isolierten Substanzen *Monaden* genannt hat. Diese beiden einander entgegengesetzten Philosophien sind zwar interessant, resultieren aber meiner Meinung nach aus einer unangebrachten Beschränkung der Aufmerksamkeit auf nur eine Art von Universalien, nämlich die, die durch Adjektive und Substantive bezeichnet werden, und aus einer Vernachlässigung der durch Verben und Präpositionen ausgedrückten Universalien.

Wenn übrigens jemand überhaupt leugnen wollte, daß es so etwas wie Universalien gibt, würden wir feststellen müssen, daß wir gar nicht strikt beweisen können, daß es *Qualitäten* (d. h. die Universalien, die durch Adjektive und Substantive bezeichnet werden) gibt, während wir beweisen können, daß es *Relationen* (Beziehungen, die Art von Universalien, die im allgemeinen durch Verben und Präpositionen bezeichnet wird) geben muß. Nehmen wir zum Beispiel das Universale »Schwärze«. Wenn wir glauben, daß es ein solches Universale gibt, werden wir sagen, daß Dinge schwarz sind, weil sie die Eigenschaft der Schwärze haben. Dieser Auffassung haben jedoch Berkeley und Hume energisch widersprochen, und die späteren Empiristen sind ihnen darin gefolgt. Ihr Widerspruch nahm die Form einer Leugnung der Existenz »abstrakter Ideen« an. Wenn wir über die Schwärze nachdenken wollen, so sagten sie, dann stellen wir uns ein bestimmtes schwarzes Ding vor und nehmen es zum Muster für unsere Überlegungen, wobei wir aufpassen, daß wir nicht zu Folgerungen kommen, die nicht offensichtlich auch für jedes andere schwarze Ding gelten können. Als Beschreibung unserer Denkprozesse trifft dies sicher weitgehend zu. Wenn wir z. B. in der Geometrie etwas über alle Dreiecke beweisen wollen, dann zeichnen wir ein bestimmtes Dreieck und konstruieren an ihm unseren Beweis, wobei wir darauf achten, daß wir keine Eigenschaft benutzen, die unser Dreieck nicht mit allen anderen Dreiecken gemeinsam hat. Um Irrtümer zu vermeiden, müssen Anfänger oft mehrere möglichst unterschiedliche Dreiecke zeichnen, so daß sie kontrollieren können, ob sich die Konstruktion ohne Unterschied auf alle Dreiecke anwenden läßt. Nun ergibt sich aber eine Schwierigkeit, sobald gefragt wird, wie wir denn erkennen, daß etwas schwarz oder dreieckig ist. Wenn wir die Universalien »Schwärze« und »Dreieckigkeit« vermeiden wollen, werden wir einen bestimmten schwarzen Fleck oder ein bestimmtes Dreieck nehmen und sagen, daß etwas schwarz oder dreieckig ist, wenn es unserem Muster ausreichend ähnlich ist. Aber dann ist die geforderte Ähnlichkeit etwas Universales. Weil es viele schwarze Dinge gibt, muß eine Ähnlichkeit zwischen vielen verschiedenen Paaren zu vergleichender schwarzer Dinge bestehen, und gerade das ist ja ein charakteristisches Merkmal von Universalien. Es hat keinen Zweck, wenn man sagt, daß es für jedes Paar eine andere Ähnlichkeit gibt; denn dann müssen wir zugeben, daß sich diese Ähnlichkeiten ähnlich sehen, und so kommen wir dann wieder darauf, daß die Ähnlichkeit ein Universale sein muß. Die Ähnlichkeitsbeziehung muß also ein echtes Universale sein. Und wenn wir dies erst einmal zugegeben haben, werden wir finden, daß es kaum der Mühe wert ist, schwierige und wenig plausible Theorien zu erfinden, um die Einführung solcher Universalien wie Schwärze und Dreieckigkeit zu vermeiden.

Berkeley und Hume haben diesen Gegeneinwand gegen ihre Leugnung der »abstrakten Ideen« übersehen, weil auch sie nur an *Qualitäten* als Universalien dachten und die *Relationen* nicht beachteten. Es gibt hier also noch einen weiteren Punkt, in dem die Rationalisten gegenüber den Empiristen Recht behalten haben, obgleich ihre weitergehenden Folgerungen – eben wegen der Vernachlässigung der Relationen – womöglich noch fehlerhafter waren als die der Empiristen.

Wir haben gesehen, daß es so etwas wie Universalien geben muß. Wir müssen jetzt beweisen, daß sie nicht bloß im Bewußtsein existieren. D. h., ihr Sein ist unabhängig davon, ob sie gedacht oder auf andere Weise durch das Bewußtsein erfaßt werden. Wir sind schon gegen Ende des letzten Kapitels auf diesen Punkt eingegangen, müssen jetzt aber noch ausführlicher betrachten, was für eine Art von Sein den Universalien zukommt.

Nehmen wir einen Satz wie »Edinburgh liegt nördlich von London.« Hier haben wir eine Beziehung zwischen zwei Orten, und es scheint klar, daß diese Beziehung unabhängig davon besteht, ob wir sie erkennen oder nicht. Wenn wir erkennen, daß Edinburgh nördlich von London liegt, erkennen wir etwas, das nur Edinburgh und London betrifft – wir machen den Satz nicht dadurch wahr, daß wir ihn erkennen; im Gegenteil, wir erfahren nur von einem Sachverhalt, den es gab, bevor wir von ihm wußten. Der Teil der Erdoberfläche, auf dem Edinburgh steht, würde auch dann nördlich von dem Teil, auf dem London steht, liegen, wenn es überhaupt kein menschliches Wesen gäbe, das etwas von Norden oder Süden wüßte, ja selbst dann, wenn es im ganzen Universum kein Bewußtsein gäbe. Natürlich wird das von vielen Philosophen bestritten, entweder mit den Argumenten Berkeleys oder mit denen Kants. Aber wir haben diese Argumente ja schon geprüft und gesehen, daß sie unzureichend sind. Wir dürfen also jetzt für wahr halten, daß nichts über das Bewußtsein durch die Tatsache, daß Edinburgh nördlich von London liegt, impliziert wird. Aber diese Tatsache enthält die Beziehung »nördlich von«, die ein Universale ist; und es wäre unmöglich, wenn zwar die ganze Tatsache nicht »im Bewußtsein« sein sollte, ihr Bestandteil, die Beziehung »nördlich von«, aber »im Bewußtsein« wäre. Wir müssen infolgedessen zugeben, daß die Beziehung – ebenso wie die Dinge, zwischen denen sie besteht – nicht vom Denken abhängig ist, sondern zu jener unabhängigen Welt gehört, die das Denken zwar erfaßt, aber nicht erschafft.

Dieser Folgerung steht jedoch der Umstand im Wege, daß die Beziehung »nördlich von« nicht in demselben Sinne zu *existieren* scheint wie die Städte Edinburgh und London. Wenn wir fragen »Wann und wo existiert diese Beziehung?«, dann müssen wir antworten »Niemals und nirgendwo!« Es gibt keinen Zeitpunkt und keinen Ort, wo wir die Beziehung »nördlich von« finden könnten. Sie existiert weder in Edinburgh noch in London, denn sie verbindet die beiden, ohne mehr zum einen als zum andern zu gehören. Und wir können auch nicht sagen, daß sie zu irgendeiner bestimmten Zeit existiert. Nun existiert aber alles, was uns durch die Sinne oder durch Introspektion zugänglich ist, während eines ganz bestimmten, angebbaren Zeitabschnitts. Und deshalb ist die Beziehung »nördlich von« von solchen Dingen radikal verschieden. Sie ist weder in Raum und Zeit, noch ist sie materiell oder bewußtseinshaft, und doch ist sie etwas.

Es ist vor allem diese sehr merkwürdige Seinsart der Universalien, die viele Leute dazu gebracht hat, sie als geistige Wesenheiten zu interpretieren. Wir können an ein Universale denken, und unser Denken existiert dann auf eine ganz und gar nicht merkwürdige Weise – wie jeder andere Bewußtseinsakt. Angenommen z. B. wir denken an die Schwärze. Dann könnte man *in einem gewissen Sinne* sagen, daß die Schwärze »in unserem Bewußtsein« ist. Wir haben es hier mit derselben Zweideutigkeit zu tun, die uns schon bei der Diskussion Berkeleys in Kapitel 4 begegnet ist. Genau genommen ist nicht die Schwärze in unserem Bewußtsein, sondern der Akt, in dem wir an die Schwärze denken. Die damit zusammenhängende Zweideutigkeit der Wörter »Idee« und »Vorstellung«, die wir damals bemerkt haben, stiftet auch hier Verwirrung*. In einem Sinne des Worts, nämlich in dem es den *Gegenstand* eines Denkaktes bezeichnet, ist Schwärze eine Vorstellung. Und wenn wir uns vor der impliziten Zweideutigkeit nicht hüten, können wir dazu verführt werden, Schwärze auch für eine Vorstellung im anderen Sinne des Worts zu halten, nämlich für einen Denkakt; woraus wir dann folgern, daß Schwärze etwas Bewußtseinshaftes, etwas Geistiges sei. Aber wenn wir so denken, berauben wir sie ihrer charakteristischen Eigenschaft, der Universalität. Der Denkakt eines Menschen ist notwendigerweise etwas anderes als der eines anderen Menschen; und der Denkakt ein und desselben Menschen zu einem Zeitpunkt ist verschieden von dem zu einem anderen Zeitpunkt. Wenn also Schwärze der Gedanke wäre und nicht der Gegenstand des Denkens, dann könnten niemals zwei verschiedene Menschen an sie denken, und kein Mensch könnte zweimal an sie denken. Das, was alle möglichen Gedanken über die Schwärze gemeinsam haben, ist ihr *Gegenstand*, und dieser Gegenstand ist von ihnen allen verschieden. Darum sind Universalien keine Gedanken, obwohl sie – sofern sie erkannt werden – Gegenstände des Denkens sind.

Es ist praktisch, nur dann von *Existenz* zu sprechen, wenn es sich um Dinge handelt, die in der Zeit existieren, d. h. bei denen man einen Zeitpunkt angeben kann, an dem sie existieren. (Damit soll nicht die Möglichkeit ausgeschlossen werden, daß sie zu jedem beliebigen Zeitpunkt existieren.) Gedanken und Gefühle, Bewußtsein und materielle Gegenstände existieren also. Aber Universalien existieren nicht in diesem Sinne; wir werden statt dessen besser sagen, daß sie *subsistieren* oder *Sein haben*, wobei »Sein« im Gegensatz zu »Existenz« zeitlos gemeint ist. Man könnte die Welt der Universalien daher auch als die Welt des Seins bezeichnen. Die Welt des Seins ist unveränderlich, starr, exakt; sie ist die Freude des Mathematikers, des Logikers, des Erbauers metaphysischer Systeme und all derer, die die Vollkommenheit mehr lieben als das Leben.

* »idea« bezeichnet im Englischen sowohl die platonische Idee als auch die empiristische »Vorstellung«. Die angesprochene Zweideutigkeit wird im Deutschen nur von »Vorstellung« reproduziert, wodurch der Gedankengang unebener wird als im Original. *(Anm. d. Üb.)*

Die Welt der Existenz ist etwas Fließendes, Vages, ohne scharfumrissene Grenzen, ohne klaren Plan und Anordnung, aber sie enthält alle Gedanken und Gefühle, alle Sinnesdaten, alle materiellen Gegenstände, alles, was uns entweder wohltun oder uns verletzen kann, alles, was für den Wert des Lebens und der Welt von Bedeutung ist. Je nach Temperament werden wir der Kontemplation der einen oder der anderen den Vorzug geben. Dann wird uns die, die wir verworfen haben, wahrscheinlich nur als ein blasser Schatten der anderen erscheinen, kaum wert, in irgendeinem Sinne für wirklich genommen zu werden. Aber in Wahrheit haben beide den gleichen Anspruch auf unsere unparteiische Aufmerksamkeit, beide sind wirklich und haben ihre Bedeutung für den Metaphysiker. Und kaum haben wir diese beiden Welten unterschieden, müssen wir auch schon ihre Beziehungen zueinander betrachten. Aber zunächst müssen wir auf unsere Erkenntnis der Universalien eingehen. Mit ihr werden wir uns im nächsten Kapitel beschäftigen und dabei sehen, daß sich bei dieser Gelegenheit auch das Problem unserer apriorischen Erkenntnis lösen läßt, durch das wir ja überhaupt erst auf die Universalien zu sprechen gekommen sind.

10 Unsere Erkenntnis von Universalien

Wenn man den Wissensstand eines Menschen zu einem gegebenen Zeitpunkt betrachtet, dann kann man die darin vorkommenden Universalien – ebenso wie die Einzeldinge – einteilen in solche, die durch Bekanntschaft, andere, die durch Beschreibung, und schließlich die, die weder durch Bekanntschaft noch durch Beschreibung erkannt worden sind.

Betrachten wir zuerst die Erkenntnis von Universalien durch Bekanntschaft. Es ist klar, daß uns solche Universalien wie weiß, rot, schwarz, süß, sauer, laut, hart usw. bekannt sind, also die Qualitäten, die in Sinnesdaten exemplifiziert werden. Wenn wir einen weißen Fleck sehen, wird uns in erster Linie eben dieser individuelle Fleck bekannt; aber wenn wir viele weiße Flecken gesehen haben, lernen wir mit Leichtigkeit, das Weiß, das ihnen allen gemeinsam ist, von den einzelnen Fällen seines Vorkommens zu abstrahieren, und dabei wird uns das Weiß selbst bekannt. Ein ähnlicher Prozeß vermittelt uns auch die Bekanntschaft mit den übrigen Universalien dieser Art. Wir wollen diese Universalien »Sinnesqualitäten« nennen. Sie können mit einer geringeren Anstrengung des Abstraktionsvermögens aufgefaßt werden als andere Universalien und scheinen den Einzeldingen noch näher zu stehen als diese.

Nun zu den Beziehungen. Die einfachsten Beziehungen, die man erfassen kann, sind diejenigen, die zwischen den verschiedenen Teilen eines einzigen komplexen Sinnesdatums bestehen. Ich kann z. B. auf einen Blick die ganze Seite sehen, auf der ich gerade schreibe, habe damit also ein einziges Sinnesdatum. Aber ich sehe außerdem, daß einige Wörter links von anderen stehen, und daß eine Zeile unter der anderen ist. Der Abstraktionsprozeß scheint in diesem Falle ungefähr so zu verlaufen: Ich sehe nacheinander eine Reihe von Sinnesdaten, bei denen ein Teil links vom anderen auftritt; danach nehme ich – wie bei den weißen Flecken – wahr, daß all diese Sinnesdaten etwas gemeinsam haben, und durch Abstraktion finde ich schließlich heraus, daß das, was sie gemeinsam haben, eine bestimmte Beziehung zwischen ihren Teilen ist, nämlich die

Beziehung, die ich »links von ...« nenne. Auf diese Weise wird mir die Beziehung »links von ...« als ein Universale bekannt.

Die zeitliche Beziehung zwischen »früher« und »später« wird mir auf dieselbe Weise bewußt. Angenommen, ich höre ein Glockenspiel: Wenn die letzte Glocke anschlägt, kann ich noch das ganze Spiel im Bewußtsein haben, und ich kann wahrnehmen, daß die ersten Glocken vor den letzten erklungen sind. Und wenn ich mich erinnere, nehme ich auch wahr, daß das, woran ich mich erinnere, sich früher, vor der Gegenwart, ereignet hat. Aus beiden Gegebenheiten kann ich die universale Beziehung »früher – später« abstrahieren, genauso wie ich die universale Beziehung »links von ...« abstrahiert habe. Die zeitlichen Beziehungen gehören ebenso wie die räumlichen zu den Universalien, die uns bekannt sind.

Eine weitere Beziehung, die uns auf ungefähr die gleiche Art bekannt wird, ist die Ähnlichkeit. Wenn ich gleichzeitig zwei Grüntöne sehe, kann ich sehen, daß sie einander ähneln; wenn ich außerdem noch ein Rot sehe, kann ich feststellen, daß die beiden Grüntöne mehr miteinander gemeinsam haben als mit dem Rot. So wird mir das Universale *Ähnlichkeit* bekannt.

Zwischen den Universalien gibt es – ebenso wie zwischen den Einzeldingen – Beziehungen, die uns unmittelbar bewußt werden können. Wir haben gerade gesehen, daß wir wahrnehmen können, wie die Ähnlichkeit zwischen zwei Grüntönen größer ist als die Ähnlichkeit zwischen einem roten und einem grünen Farbton. Hierbei haben wir es mit einer Beziehung zwischen Beziehungen zu tun, nämlich mit der Beziehung »größer als« zwischen zwei Ähnlichkeitsbeziehungen. Die Erkenntnis solcher Beziehungen erfordert zwar eine größere Anstrengung unseres Abstraktionsvermögens als die Wahrnehmung der Sinnesqualitäten, scheint aber ebenso unmittelbar und – wenigstens in einigen Fällen – ebenso unzweifelhaft zu sein. Es gibt also nicht nur eine unmittelbare Erkenntnis von Sinnesdaten, sondern auch eine unmittelbare Erkenntnis von Universalien.

Um nun zum Problem der apriorischen Erkenntnis zurückzukehren, das ungelöst am Anfang unserer Betrachtungen über die Universalien steht: Wir befinden uns jetzt in einer weitaus günstigeren Position und können hoffen, eine befriedigende Lösung zu finden. Nehmen wir noch einmal den Satz »Zwei mal zwei ist vier«. Nach dem bisher Gesagten sollte klar sein, daß in diesem Satz eine Aussage über eine Beziehung zwischen den Universalien »zwei« und »vier« gemacht wird. Und das legt eine allgemeine Aussage nahe, die wir jetzt – so gut es geht – beweisen wollen, nämlich *»Apriorische Erkenntnis hat es ausschließlich mit Beziehungen zwischen Universalien zu tun«*. Dieser Satz ist sehr wichtig und wird uns bei der Auflösung der Schwierigkeiten, die sich bei unserer Betrachtung der apriorischen Erkenntnis ergeben haben, ein gutes Stück weiterbringen.

Der einzige Fall, in dem es auf den ersten Blick so scheint, als ob unser Satz nicht wahr wäre, ist der, in dem eine apriorische Aussage behauptet, daß *alle* Elemente einer Klasse von Einzeldingen auch zu einer anderen Klasse gehören, mit anderen Worten: daß *alle* Einzeldinge, die eine bestimmte Eigenschaft haben, auch noch eine bestimmte andere Eigenschaft haben. Es könnte so scheinen, als ob wir es hier mit den Einzeldingen zu tun haben, die die entsprechende Eigenschaft besitzen, und nicht mit der Eigenschaft selbst. Nun gehört auch unser Satz »Zwei mal zwei ist vier« hierher; denn man könnte ihn ja so formulieren: »Jedes Paar von Dingen ergibt, zusammen mit noch einem Paar von Dingen, vier Dinge« oder »Jede Menge, die aus zwei Paaren besteht, ist eine Menge mit vier Elementen«. Wenn wir zeigen können, daß solche Aussagen in Wirklichkeit Aussagen über Universalien und nicht Aussagen über Einzeldinge sind, dann darf unser Satz als bewiesen gelten *.

Wenn man herausfinden will, wovon in einem Satz die Rede ist, stellt man am besten die Frage, welche Wörter wir verstehen müssen – d. h., welche Gegenstände uns bekannt sein müssen –, um die Bedeutung des Satzes zu verstehen. Sobald wir wissen, was der Satz bedeutet – selbst wenn wir noch nicht

* Genaugenommen gelten die von Russell hier gegebenen Alternativformulierungen für den Satz »2 + 2 = 4«, der aber, im Gegensatz zu »zwei mal zwei ist vier«, nicht eigentlich zur »Arithmetik der Umgangssprache« gehört. Die Vertauschbarkeit von Addition und Multiplikation in diesem Falle erlaubt eine Konzession an die Geläufigkeit, die bei genauerer logischer Analyse rückgängig gemacht werden müßte. *(Anm. d. Üb.)*

wissen, ob er wahr oder falsch ist –, ist es klar, daß uns der Gegenstand, von dem in dem Satz wirklich die Rede ist, bekannt sein muß. Und wenn wir diesen Test machen, stellt sich heraus, daß viele Sätze, in denen scheinbar von Einzeldingen die Rede ist, es in Wirklichkeit nur mit Universalien zu tun haben. Selbst wenn wir unseren Satz »Zwei mal zwei ist vier« in »Jede Menge von zwei Paaren ist eine Menge von vier Gegenständen« übersetzen, ist es klar, daß wir den Satz verstehen – d. h. sehen können, welche Aussage in ihm gemacht wird –, wenn wir nur wissen, was die Ausdrücke »Menge«, »zwei«, »vier« bedeuten. Es wäre ganz überflüssig, alle Paare der Welt zu kennen: wenn das nämlich notwendig wäre, könnten wir den Satz niemals verstehen, weil es ja unendlich viele Paare gibt, die wir nicht alle kennen können. Unsere allgemeine Aussage *impliziert* zwar Aussagen über bestimmte Paare, *sobald wir wissen, daß es solche Paare gibt;* aber sie selbst sagt oder impliziert nicht, daß es Paare gibt, und deshalb sagt sie auch nichts über irgendein bestimmtes Paar. Die Aussage meint das Universale »Paar«, und nicht dieses oder jenes Paar.

In dem Satz »Zwei mal zwei ist vier« ist also ausschließlich von Universalien die Rede; sein Inhalt ist eine Erkenntnis, die jedermann machen kann, dem die betreffenden Universalien bekannt sind, und der die Beziehung, von der in dem Satz die Rede ist, wahrnehmen kann. Wir müssen es als eine – durch die Reflexion über unsere Erkenntnis entdeckte – Tatsache hinnehmen, daß wir manchmal solche Beziehungen zwischen Universalien wahrnehmen und deshalb allgemeine apriorische Sätze wie die der Arithmetik und Logik erkennen können. Was uns bisher so rätselhaft erschienen ist, nämlich daß diese Art von Erkenntnis scheinbar die Erfahrung vorwegzunehmen und zu kontrollieren vermag, stellt sich jetzt als bloßer Irrtum heraus. *Keine* mögliche Erfahrungstatsache kann unabhängig von der Erfahrung erkannt werden. Wir wissen a priori, daß zwei Paare von Dingen zusammen vier Dinge ergeben; aber wir wissen *nicht* a priori, daß – wenn Brown und Jones zwei Menschen sind, und ebenso Robinson und Smith – Brown, Jones, Robinson und Smith zusammen vier Menschen sind. Wir können diesen Satz nämlich überhaupt nicht verstehen, bevor wir wissen, daß es Leute wie Brown, Jones, Robinson und Smith gibt, und das kann uns nur unsere Erfahrung sagen. So gilt zwar unser allgemeiner Satz a priori, aber seine Anwendung auf konkrete Einzelfälle setzt Erfahrung voraus und enthält deshalb ein empirisches Element. Und damit haben wir gezeigt, daß alles, was uns an unserer apriorischen Erkenntnis rätselhaft erschien, sich auf einen Irrtum zurückführen läßt.

Man kann das noch ein wenig deutlicher machen, wenn man ein wirklich apriorisches Urteil einer empirischen Verallgemeinerung wie »Alle Menschen sind sterblich« gegenüberstellt. Auch hier können wir den Satz *verstehen*, sobald wir die vorkommenden Universalien kennen, nämlich »Mensch« und »sterblich«. Es ist ganz offenbar überflüssig, jedes Mitglied der menschlichen Gesellschaft einzeln zu kennen, um die Bedeutung der gemachten Aussage zu erfassen. Der Unterschied zwischen einer allgemeinen apriorischen Aussage und einer empirischen Verallgemeinerung ist also kein Unterschied in der *Bedeutung* der Sätze; er tritt vielmehr bei ihrer *Begründung* zutage. Bei der empirischen Verallgemeinerung stehen uns für die Begründung nur Einzelfälle zur Verfügung. Wir glauben, daß alle Menschen sterblich sind, weil wir wissen, daß in unzähligen Fällen Menschen gestorben sind und daß noch kein Mensch über ein gewisses Alter hinaus gelebt hat. Wir glauben nicht etwa an die Sterblichkeit der Menschen, weil wir eine Verknüpfung zwischen den Universalien »Mensch« und »sterblich« sehen. Wenn allerdings die Physiologie einmal aus allgemeinen Gesetzen, die für alle belebten Körper gelten, folgern kann, daß kein lebender Organismus ewig hält, dann ergibt sich eine Verknüpfung zwischen »Mensch« und »Sterblichkeit«, die uns in die Lage versetzen wird, unsere Aussage zu begründen, ohne auf die Fälle, in denen einzelne Menschen sterben, zurückzugreifen. Aber das würde nur bedeuten, daß unser Satz jetzt unter eine umfassendere Verallgemeinerung unterzuordnen ist, deren Begründung zwar umfangreicher, aber im Prinzip noch von der gleichen Art ist. Der Fortschritt der Wissenschaft bringt dauernd solche Subsumtionen hervor und erzeugt damit eine sich ständig erweiternde Induktionsbasis für wissenschaftliche Verallgemeinerungen. Dabei entsteht jedoch nur ein größerer *Grad* und nicht eine neue *Art* von Gewißheit: Unsere Begründungen bleiben letzten Endes induktiv, d. h. aus Einzelfällen hergeleitet, und bestehen nicht aus einem Nachweis apriorischer Verknüpfungen zwischen Universalien wie in der Logik und der Arithmetik.

Nun sind noch zwei, einander gleichsam polar entgegengesetzte Beobachtungen über allgemeine apriorische Sätze zu machen. Die erste: Wenn viele einschlägige Einzelfälle bekannt sind, kommt man unter Umständen zuerst durch Induktion zu der allgemeinen Aussage, und die entsprechende Verknüpfung der Universalien wird erst nachträglich wahrgenommen. Wir wissen z. B., daß die drei Lote, die man von den Ecken eines Dreiecks auf die gegenüberliegenden Seiten fällen kann, sich in einem Punkte schneiden. Es ist durchaus möglich, daß man zuerst auf diesen Satz kommt, indem man eine Reihe von Dreiecken zeichnet, die Lote einträgt und dann merkt, daß sie sich jedesmal in einem Punkte schneiden. Danach würde man dann nach einem allgemeinen Beweis suchen und ihn auch finden. Jeder Mathematiker wird so etwas erlebt haben.

Die zweite Beobachtung ist wichtiger und philosophisch interessanter: Wir erkennen manchmal einen allgemeinen Satz, ohne einen der Gegenstände, von denen der Satz gilt, zu kennen. Betrachten wir z. B. den folgenden Fall: Wir wissen, daß wir zwei beliebige Zahlen miteinander multiplizieren können und daß sich dabei eine dritte ergibt, die wir ihr Produkt nennen. Wir wissen ferner, daß alle ganzen Zahlen, deren Produkt kleiner als 100 ist, schon einmal miteinander multipliziert worden sind, und daß man das Produkt in der Rechentafel finden kann. Aber wir wissen außerdem, daß es unendlich viele ganze Zahlen gibt und daß nur endlich viele Paare ganzer Zahlen jemals in menschlichen Denkprozessen vorgekommen sind oder noch vorkommen werden. Daraus folgt, daß es Paare ganzer Zahlen gibt, an die noch nie jemand gedacht hat, und an die auch niemand jemals denken wird. Außerdem bestehen sie natürlich aus Zahlen, deren Produkt größer als 100 ist. Wir kommen so zu dem Satz: »Alle Produkte zweier ganzer Zahlen, an die noch nie jemand gedacht hat und an die auch niemand jemals denken wird, sind größer als 100.« Hier haben wir einen allgemeinen Satz, dessen Wahrheit unbestreitbar ist, und doch können wir – der Natur der Sache nach – niemals ein Beispiel für das angeben, wovon in ihm die Rede ist; denn sobald wir an zwei bestimmte ganze Zahlen denken, werden sie auch schon durch unsere Aussage selbst als mögliches Beispiel ausgeschlossen.

Es wird oft bestritten, daß eine solche Erkenntnis allgemeiner Aussagen, bei denen man kein Beispiel für das, wovon die Rede ist, angeben kann, möglich ist, weil man übersieht, daß diese Erkenntnis nur die Bekanntschaft mit den Beziehungen zwischen Universalien voraussetzt und nicht die Kenntnis von Einzelfällen, in denen sich die Universalien verkörpert haben. Und doch ist die Erkenntnis solcher allgemeinen Sätze eine ganz wesentliche Voraussetzung großer Teile dessen, was nach allgemeiner Übereinstimmung als Wissen gilt. Wir haben z. B. in den ersten Kapiteln dieses Buches gesehen, daß materielle Körper – im Gegensatz zu Sinnesdaten – nur *erschlossen* und uns nicht *bekannt* sind. Deshalb können wir niemals zu einer Aussage der Form »Dies ist ein materieller Gegenstand« kommen, in der »dies« für etwas uns unmittelbar Bekanntes steht. Es folgt weiter, daß unser gesamtes Wissen über materielle Gegenstände so beschaffen ist, daß wir niemals einen solchen Gegenstand als Beispiel angeben können. Wir können die mit dem Gegenstand verknüpften Sinnesdaten angeben, aber niemals den Gegenstand selbst. Unsere Erkenntnis materieller Gegenstände hängt also ganz und gar von der Möglichkeit allgemeiner Aussagen ab, für deren Gegenstand es kein Beispiel gibt. Und das gilt auch für unsere Erkenntnis des Innenlebens anderer Menschen, überhaupt für die Erkenntnis aller Klassen von Dingen, die keinen uns bekannten Gegenstand enthalten.

Wir sind jetzt an einen Punkt gekommen, wo wir die Quellen unseres Wissens Revue passieren lassen können, so, wie sie sich uns im Laufe unserer Analyse gezeigt haben. Wir unterscheiden zuerst die Erkenntnis von Dingen und die Erkenntnis von Wahrheiten. Beide sind weiter zu unterteilen in unmittelbare und abgeleitete Erkenntnis. Unsere unmittelbare Erkenntnis von Dingen, die wir *Bekanntschaft* genannt haben, besteht aus zwei Arten, je nachdem, ob die erkannten Dinge partikulär oder Universalien sind. Von den partikulären, den Einzeldingen, kennen wir die Sinnesdaten und – wahrscheinlich – uns selbst. Für die Universalien scheint es kein Prinzip zu geben, nach dem wir entscheiden könnten, welche uns durch Bekanntschaft zugänglich sind; aber soviel ist sicher, daß zu den Universalien, die uns bekannt sein können, die Sinnesqualitäten, räumliche und zeitliche Beziehungen, die Ähnlichkeit und gewisse abstrakt-logische Universalien gehören. Unsere abgeleitete Erkenntnis von Dingen, die wir Erkenntnis durch *Beschreibung* nennen, involviert stets sowohl die Bekanntschaft mit etwas als auch die Kenntnis von Wahrheiten. Unsere unmittelbare Erkenntnis von *Wahrheiten* könnte man *intuitiv* nennen, und die so erkannten Wahrheiten *evident.* Zu ihnen zählen alle Aussagen, die bloß feststellen, was uns durch die Sinne gegeben wird, gewisse abstrakt-logische und arithmetische Prinzipien und – wenn auch mit einem geringeren Grad von Gewißheit – einige Aussagen der Ethik. Unsere *abgeleitete* Erkenntnis von Wahrheiten besteht aus allem, was aus evidenten Wahrheiten mit Hilfe evidenter Deduktionsprinzipien gefolgert werden kann.

Wenn diese Darstellung richtig ist, ist unsere gesamte Erkenntnis von Wahrheiten von unserer intuitiven Erkenntnis abhängig. Und darum müssen wir jetzt Natur und Umfang der intuitiven Erkenntnis genauer betrachten, so wie wir uns schon früher mit Natur und Umfang der Erkenntnis durch Bekanntschaft beschäftigt haben. Die Erkenntnis von Wahrheiten stellt uns jedoch noch ein weiteres Problem, das sich bei der Erkenntnis von Dingen nicht stellte, nämlich das Problem des *Irrtums.* Einige unserer Meinungen erweisen sich immer als irrig, und so stellt sich die Frage, wie wir – wenn das überhaupt möglich ist – Wahrheit von Irrtum unterscheiden können. Dieses Problem taucht bei der Erkenntnis durch Bekanntschaft nicht auf, weil es – was immer auch der Gegenstand der Bekanntschaft sein mag, und selbst wenn er nur in Träumen oder Halluzinationen auftritt – keinen Irrtum geben kann, solange wir nicht über die unmittelbaren Gegebenheiten hinausgehen. Zu einem Irrtum kann es erst dann kommen, wenn wir das unmittelbar Gegebene, z. B. ein Sinnesdatum, als die Spur eines materiellen Gegenstandes auffassen. Die Erkenntnis von Wahrheiten bringt also schwierigere Probleme mit sich als die Erkenntnis von Dingen. Als erstes dieser bei der Erkenntnis von Wahrheiten auftauchenden Probleme wollen wir jetzt Natur und Geltungsbereich unserer intuitiven Urteile betrachten.

11 Intuitive Erkenntnis

Es gilt fast als selbstverständlich, daß jede Meinung, die wir haben, beweisbar sein oder daß man doch wenigstens zeigen können müsse, daß sie sehr wahrscheinlich richtig sei. Viele Menschen haben das Gefühl, eine unbegründbare Meinung müsse auch eine unvernünftige Meinung sein. Im großen und ganzen ist das schon richtig. Was wir im Alltagsleben glauben, ist fast immer aus anderen Meinungen erschlossen oder könnte doch aus ihnen erschlossen werden, und diese wären dann eine Begründung. In der Regel hat man den Grund für das, was man glaubt, vergessen, oder er ist uns sogar niemals deutlich bewußt geworden. Z. B. würden wohl nur wenige von uns sich fragen, warum das, was wir gerade essen, wahrscheinlich nicht giftig ist. Aber wenn man uns darauf aufmerksam macht, haben wir doch das Gefühl, daß sich ein vollkommen ausreichender Grund finden läßt, selbst wenn er uns im Augenblick nicht präsent ist. Und im allgemeinen behalten wir recht.

Doch stellen wir uns einmal einen hartnäckigen Sokrates vor, der – ganz gleich, was wir ihm für Gründe angeben – immer wieder neue verlangt. Früher oder später – und wahrscheinlich schon nach kurzer Zeit – kommen wir an einen Punkt, wo wir keinen weiteren Grund mehr finden können und wo sich fast mit Sicherheit sagen läßt, daß es schon aus theoretischen Erwägungen heraus keinen mehr geben kann. Wenn wir von einer Alltagsmeinung ausgehen, kann man uns von Grund zu Grund zurücktreiben, bis wir auf ein allgemeines Prinzip oder die Anwendung eines allgemeinen Prinzips stoßen, das uns vollkommen einleuchtend erscheint und das selbst nicht mehr aus etwas noch Evidenterem abgeleitet werden kann. Bei Alltagsproblemen – wie der Frage, warum unser Essen wahrscheinlich nahrhaft und nicht giftig ist – werden wir auf das Induktionsprinzip zurückgeführt, das wir im Kapitel 6 diskutiert haben. Einen weiteren Schritt gibt es anscheinend nicht. Das Prinzip selbst verwenden wir dauernd, wenn wir über etwas nachdenken, manchmal bewußt, manchmal auch unbewußt; aber es gibt kein Argument, das von einem noch einfacheren, noch evidenteren Prinzip ausgeht und uns das Induktionsprinzip als Folgerung liefert. Das gilt genauso für die übrigen logischen Prinzipien. Ihre Wahrheit leuchtet uns ein, und wir verwenden sie bei der Konstruktion von Beweisen; aber sie selbst – oder wenigstens einige von ihnen – lassen sich nicht beweisen.

Solche unmittelbare Einsichtigkeit gibt es jedoch nicht nur bei allgemeinen Prinzipien, die sich nicht beweisen lassen. Wenn eine bestimmte Anzahl von logischen Prinzipien vorausgesetzt wird, kann man die übrigen aus ihnen herleiten; aber die abgeleiteten Sätze sind oft ebenso einleuchtend wie die ohne Beweis vorausgesetzten. Die gesamte Arithmetik kann aus den allgemeinen Prinzipien der Logik abgeleitet werden, und doch sind die einfachen Sätze der Arithmetik wie »zwei mal zwei ist vier« ebenso einleuchtend wie die Prinzipien der Logik.

Weiterhin hat es den Anschein – obgleich man darüber sicher streiten könnte –, als ob es einige evidente ethische Prinzipien gibt, z. B. »Wir sollten nach dem Guten streben«.

Man muß hier bemerken, daß bei allgemeinen Prinzipien die Anwendungen, die es mit uns vertrauten Dingen zu tun haben, einleuchtender sind als das ganz allgemeine Prinzip. Z. B. sagt der Satz vom Widerspruch, daß nichts eine bestimmte Eigenschaft haben und zugleich nicht haben kann. Sobald man den Satz versteht, ist er evident, aber nicht ganz so evident wie der Umstand, daß diese Rose hier nicht zugleich rot und nicht rot sein kann. (Natürlich ist es möglich, daß einige Teile der Rose rot sind und andere nicht, oder daß sie eine Farbe hat, bei der wir nicht wissen, ob wir das noch Rot nennen sollen oder nicht; aber im ersten Falle ist es sofort klar, daß die Rose im ganzen nicht rot ist, während die Antwort im zweiten Falle theoretisch festgelegt ist, sobald wir uns auf eine genaue Definition von »Rot« geeinigt haben.) Wir erkennen allgemeine Prinzipien normalerweise anläßlich ihrer Anwendung in konkreten Fällen. Nur wer im Umgang mit Abstraktionen geübt ist, wird ein allgemeines Prinzip ganz ohne Hilfe durch die Anschauung auffassen können.

Neben den allgemeinen Prinzipien gibt es noch einleuchtende Wahrheiten, die unmittelbar von Empfindungen abstammen.

Wir wollen sie »Wahrnehmungswahrheiten« nennen, und die Sätze, in denen sie ausgedrückt werden, »Wahrnehmungsurteile«. Es bedarf einer gewissen Umsicht und Sorgfalt, um die Natur dieser evidenten Wahrheiten genauer zu bestimmen. Die Sinnesdaten selber sind weder wahr noch falsch. Wenn ich z. B. einen bestimmten Farbfleck sehe, dann existiert er einfach – er gehört nicht zu den Dingen, die wahr oder falsch sein können. Es ist wahr, daß es dort solch einen Fleck gibt; es ist wahr, daß er eine bestimmte Gestalt und eine bestimmte Intensität hat, wahr, daß er von anderen Farben umgeben ist. Aber der Fleck selbst ist – wie alles in der Welt der Sinne – radikal verschieden von den Dingen, die wahr oder falsch sein können; und man kann deshalb nicht eigentlich sagen, er sei *wahr*. Was immer für evidente Wahrheiten unsere Sinne uns liefern, sie müssen etwas anderes sein als die Sinnesdaten, in denen sie ihren Ursprung haben.

Auf den ersten Blick scheint es zwei Arten von evidenten Wahrnehmungsurteilen zu geben (die vielleicht bei noch genauerem Zusehen dann wieder miteinander verschmelzen). Die erste Art sagt einfach, daß das Sinnesdatum existiert, ohne es weiter zu analysieren. Wir sehen einen roten Fleck und urteilen »Dort ist ein roter Fleck«, oder strenger: »Dort ist das«. Das ist die eine Art von intuitivem Wahrnehmungsurteil. Zu der zweiten Art kommen wir, wenn der Wahrnehmungsgegenstand komplex ist und wir ihn einer gewissen Analyse unterziehen. Wenn wir z. B. einen *runden* roten Fleck sehen, urteilen wir »Dieser rote Fleck ist rund«. Hier haben wir wieder ein Wahrnehmungsurteil, aber von einer anderen Art als das vorige. Es handelt sich hier um ein einziges Sinnesdatum, das sowohl Farbe als auch Gestalt hat: Die Farbe ist rot, und die Gestalt ist rund. Unser Urteil analysiert das Datum nach Farbe und Gestalt und kombiniert dann beide wieder in der Aussage, daß die rote Farbe eine runde Gestalt hat. Ein anderes Beispiel ist »Dieses befindet sich rechts von jenem«, wobei man »dieses« und »jenes« gleichzeitig im Auge hat. Bei dieser Art von Urteil enthält das Sinnesdatum Bestandteile, die eine Beziehung zueinander haben, und das Urteil sagt aus, *daß* diese Bestandteile diese Beziehung zueinander haben.

Eine Klasse intuitiver Urteile, die den Wahrnehmungsurteilen verwandt und doch ganz verschieden von ihnen ist, sind die *Erinnerungsurteile.* Hier besteht die Gefahr, daß es zu Verwirrungen über das Wesen der Erinnerung kommt, weil die Erinnerung an einen Gegenstand oft von einem Bild des Gegenstands begleitet wird, und dieses Bild eben nicht das sein kann, was die Erinnerung ausmacht. Man macht sich das leicht klar, indem man sich vor Augen führt, daß das Bild in die Gegenwart gehört, während der Gegenstand, an den man sich erinnert, in der Vergangenheit existierte. Außerdem können wir wohl doch unser Bild mit dem Gegenstand, an den wir uns erinnern, vergleichen, so daß wir oft – obschon mit allen nötigen Vorbehalten – sagen können, wie genau unser Bild dem Gegenstand entspricht. Das wäre aber unmöglich, wenn wir nicht in unserem Bewußtsein den Gegenstand unserem Bild von ihm irgendwie gegenüberstellen könnten. Das Wesen der Erinnerung besteht also nicht in einem Vorstellungsbild, sondern darin, daß dem Bewußtsein ein Gegenstand unmittelbar gegeben ist, der als vergangener erkannt wird. Wenn es nicht tatsächlich ein solches Erinnerungsvermögen gäbe, könnten wir überhaupt nicht wissen, daß es eine Vergangenheit gegeben hat; wir würden nicht einmal verstehen, was das Wort »Vergangenheit« bedeutet, ebensowenig wie ein Mensch, der von Geburt an blind ist, verstehen kann, was das Wort »Licht« bedeutet. Es muß also intuitive Erinnerungsurteile geben, und von ihnen hängt letzten Endes unser gesamtes Wissen von der Vergangenheit ab.

Die intuitiven Erinnerungsurteile bringen eine Schwierigkeit mit sich: Unser Gedächtnis ist notorisch trügerisch, und dadurch fällt ein Schatten auf die Glaubwürdigkeit intuitiver Urteile überhaupt. Man darf diese Schwierigkeit nicht auf die leichte Schulter nehmen. Aber zunächst wollen wir einmal versuchen, sie so weit wie möglich einzuschränken. Grob gesagt: Die Zuverlässigkeit des Gedächtnisses ist der Stärke und der zeitlichen Nähe des betreffenden Erlebnisses direkt proportional. Wenn das Haus meines Nachbarn vor einer halben Minute vom Blitz getroffen worden ist, wird meine Erinnerung an das Gesehene und Gehörte so zuverlässig sein, daß es einfach lächerlich wäre zu zweifeln, ob es überhaupt einen Blitz gegeben hat. Und das gleiche gilt für weniger starke Erlebnisse,

wenn sie nur kurz zurückliegen. Ich bin ganz sicher, daß ich vor einer halben Minute auf demselben Stuhl gesessen habe, auf dem ich jetzt auch sitze. Wenn ich meinen Tageslauf weiter rückwärts durchgehe, dann finde ich Dinge, bei denen ich ganz sicher bin, andere Dinge, bei denen ich fast sicher bin, Dinge, deren ich mich vergewissern kann, indem ich genauer nachdenke und mir ihre Begleitumstände ins Gedächtnis zurückrufe, und Dinge, bei denen mein Gedächtnis durchaus unsicher ist. Ich zweifle nicht im mindesten daran, daß ich heute morgen mein Frühstück gegessen habe, aber wenn mir mein Frühstück so gleichgültig wäre, wie es das einem Philosophen sein sollte, wäre ich nicht so sicher. An einiges, was am Frühstückstisch gesagt wurde, kann ich mich sofort erinnern, an anderes nur mit einiger Anstrengung; einiges davon erscheint mir sehr zweifelhaft, anderes ist mir vollkommen entfallen. Es gibt also eine fast kontinuierliche Abstufung von Graden der Evidenz dessen, woran ich mich erinnere, und eine entsprechende Abstufung der Zuverlässigkeit meines Gedächtnisses.
Die erste Antwort auf das Problem der Gedächtnistäuschung sagt also, daß es in der Erinnerung Grade der Evidenz gibt, daß diese den Graden der Zuverlässigkeit des Gedächtnisses korrespondieren und daß beide eine Grenze vollkommener Evidenz bzw. vollkommener Zuverlässigkeit erreichen, wenn wir uns an lebhafte Eindrücke erinnern, die wir kurz zuvor gehabt haben.
Nun scheint es aber auch Fälle zu geben, in denen wir uns fest auf unser Gedächtnis verlassen und uns dabei ganz und gar täuschen. Wahrscheinlich ist es in diesen Fällen so, daß das, woran man sich wirklich erinnert – in dem Sinne, daß es dem Bewußtsein unmittelbar gegeben ist – etwas anderes ist als das, was wir fälschlich für wahr halten, obwohl es meist mit dem letzteren in irgendeinem Zusammenhang steht. Es heißt, daß Georg IV. zuletzt selber glaubte, daß er an der Schlacht von Waterloo teilgenommen habe, weil er so oft davon erzählt hatte. In diesem Falle erinnerte er sich unmittelbar an seine oft wiederholten Behauptungen; der Glaube an seine Behauptungen – wenn er ihn hatte – wäre dann durch Assoziation mit der erinnerten Behauptung hervorgerufen worden, und es würde sich hier also nicht um eine echte Gedächtnis-

täuschung handeln. Es ist gut möglich, daß sich alle Fälle von Gedächtnistäuschung so erklären lassen; dann würde man gezeigt haben, daß es sich bei diesen Phänomenen strenggenommen überhaupt nicht um Täuschungen des Gedächtnisses handelt.

Eine wesentliche Eigenschaft der Evidenz hat sich bei dieser Diskussion des Gedächtnisses herausgestellt: es gibt Abstufungen bzw. Grade von Evidenz; es handelt sich bei der Evidenz nicht um eine Eigenschaft, die entweder vorliegt oder nicht vorliegt, sondern um eine Eigenschaft, die mehr oder weniger vorhanden sein kann, in Abstufungen, die von absoluter Gewißheit bis hin zu einer fast unmerklichen Nuance von Glaubhaftigkeit reichen. Wahrnehmungsurteile und einige Prinzipien der Logik haben den höchsten Grad von Evidenz; die Wahrheiten unseres Kurzzeitgedächtnisses sind fast ebenso zuverlässig. Das Induktionsprinzip ist weniger evident als andere Prinzipien der Logik, wie etwa »Was aus wahren Prämissen folgt, muß wahr sein«. Erinnerungen haben abnehmende Evidenz, je älter und schwächer sie werden; die Wahrheiten der Logik und der Mathematik sind – grob gesagt – um so weniger evident, je komplizierter sie werden. Ethische und ästhetische Werturteile haben wohl etwas Evidenz, aber nicht viel.

Die Abstufung der Evidenz ist für die Erkenntnistheorie deshalb wichtig, weil – wenn Sätze einen gewissen Grad von Evidenz haben können, ohne wahr zu sein, und das ist scheinbar der Fall – man die Verbindung zwischen Wahrheit und Evidenz nicht ganz und gar aufgeben muß, sondern sagen kann, daß im Zweifelsfalle der evidentere Satz beibehalten und der weniger evidente verworfen werden soll.

Höchstwahrscheinlich können wir es aber nicht dabei bewenden lassen, sondern werden zwei Bedeutungen von »Evidenz« unterscheiden müssen: eine, die dem höchsten Grad von Evidenz entspricht und uns tatsächlich eine unfehlbare Garantie für Wahrheit gibt, und eine zweite, die allen übrigen Graden von Evidenz entspricht und die wir nicht als unfehlbare Garantie, sondern nur als mehr oder weniger zuverlässige Bürgschaft akzeptieren dürfen. Allerdings ist dies nur eine Vermutung, auf die wir hier nicht weiter eingehen können. Nachdem wir uns mit dem Wesen der Wahrheit beschäftigt haben, werden wir im Zusammenhang mit der Unterscheidung von Wissen und Irrtum wieder auf die Evidenz zu sprechen kommen.

12 Wahrheit und Falschheit

Unsere Erkenntnis von Wahrheiten hat – anders als unsere Erkenntnis von Dingen – ein Gegenteil, nämlich den Irrtum. Wenn es um Dinge geht, erkennen wir sie oder wir erkennen sie nicht; aber es gibt keinen Bewußtseinszustand, den man etwa als irrtümliche Erkenntnis von Dingen bezeichnen könnte, jedenfalls nicht, solange wir uns auf Erkenntnis durch Bekanntschaft beschränken. Alles, was uns bekannt ist, muß auch so sein; wir ziehen aus dieser Bekanntschaft vielleicht falsche Schlüsse, doch sie selbst kann uns nicht täuschen. Bei der Bekanntschaft gibt es also nicht den Gegensatz von wahr und falsch. Aber bei der Erkenntnis von Wahrheiten tritt dieser Gegensatz auf. Wir können etwas Falsches ebensogut glauben wie etwas Wahres. Wir wissen, daß es viele Gegenstände gibt, über die verschiedene Leute verschiedene und miteinander nicht verträgliche Meinungen haben: einige dieser Meinungen müssen also irrig sein. Man ist von Irrtümern oft ebenso fest überzeugt wie von Wahrheiten, und so stellt sich die Frage, wie man sie von Wahrheiten unterscheiden kann. Wie können wir in einem gegebenen Fall wissen, daß unsere Meinung kein Irrtum ist? Das ist eine höchst diffizile Frage, und eine ganz befriedigende Antwort darauf läßt sich wohl nicht finden. Es gibt jedoch eine Vorfrage, die weniger schwierig ist: Was meinen wir, wenn wir von Wahrheit und Falschheit reden? Mit ihr wollen wir uns jetzt beschäftigen.
Wir fragen in diesem Kapitel nicht, wie wir wissen können, ob eine Meinung wahr oder falsch ist; wir fragen vielmehr, was mit der Frage, ob eine Meinung wahr oder falsch sei, gemeint ist. Wir wollen hoffen, daß eine klare Antwort uns auch helfen wird herauszufinden, welche Meinungen wahr sind, aber im Augenblick wollen wir nur fragen »Was ist Wahrheit?« und »Was ist Falschheit?«, nicht »Welche Meinungen sind wahr?« und »Welche Meinungen sind falsch?« Man muß hier sehr sorgfältig unterscheiden, denn jede Verwechslung führt zu Antworten, die auf keine unserer Fragen passen.

Bei dem Versuch, die Natur der Wahrheit zu entdecken, muß man drei Punkte beachten, drei Forderungen, die jede Theorie der Wahrheit erfüllen muß.

1) Unsere Theorie muß auch das Gegenteil der Wahrheit, die Falschheit, zulassen. Viele Philosophen haben diese Bedingung nicht ausreichend beachtet: sie haben Theorien konstruiert, denen zufolge unser gesamtes Denken wahr sein müßte, und hatten dann immer die größten Schwierigkeiten, auch für die Falschheit einen Platz im System zu finden. In dieser Hinsicht muß sich unsere Theorie der Meinungen von unserer Theorie der Bekanntschaft unterscheiden, denn bei der letzteren war es nicht nötig, irgendein Gegenteil in Rechnung zu stellen.

2) Es ist wohl klar, daß es weder Wahrheit noch Falschheit geben könnte, wenn es keine Meinungen gäbe. Wenn wir uns eine bloß materielle Welt vorstellen, dann gibt es keinen Platz für die Falschheit in dieser Welt. Sie würde zwar das enthalten, was wir »Tatsachen« nennen, aber es gäbe in ihr keine Wahrheiten in dem Sinne, in dem Wahrheiten dieselbe Art von Dingen sind wie Falschheiten. In der Tat sind Wahrheit und Falschheit Eigenschaften von Meinungen und Aussagen, deshalb könnte eine bloß materielle Welt – eben weil sie keine Meinungen oder Aussagen enthielte – auch keine Wahrheit oder Falschheit enthalten.

3) Des eben Gesagten ungeachtet müssen wir daran festhalten, daß die Wahrheit oder Falschheit einer Meinung immer von etwas abhängt, das außerhalb der Meinung selber liegt. Wenn ich glaube, daß Karl I. auf dem Schafott starb, dann ist das nicht deshalb wahr, weil mein Glaube irgendeine Eigenschaft an sich hätte, die man entdecken könnte, wenn man ihn vornimmt und genau untersucht. Mein Glaube ist deshalb wahr, weil dieses historische Ereignis vor zweieinhalb Jahrhunderten stattgefunden hat. Wenn ich glaube, daß Karl I. im Bett starb, irre ich mich; ganz gleich, wie lebhaft meine Überzeugung ist oder wieviel Sorgfalt ich darauf verwandt habe, um zu ihr zu gelangen; nichts dergleichen kann verhindern, daß sie falsch ist, und dies wiederum wegen eines längst vergangenen Ereignisses und nicht wegen irgendeiner Eigenschaft, die mein Glaube an sich hat. Daher sind Wahrheit und Falschheit zwar Eigenschaften von Meinungen, aber sie sind Eigenschaften, die von

Beziehungen der Meinungen zu anderen Dingen und nicht von Eigenschaften der Meinungen selbst abhängig sind.

Die dritte der eben aufgeführten Forderungen führt uns zu der Ansicht – die unter Philosophen wohl auch die verbreitetste ist –, daß die Wahrheit in einer Übereinstimmung zwischen Meinung und Tatsache besteht. Es ist jedoch gar nicht einfach, eine Form des einander Entsprechens ausfindig zu machen, gegen die es keine stichhaltigen Einwände gibt. Viele Philosophen sind teils durch solche Einwände und teils durch das Gefühl, daß – wenn die Wahrheit in einer Übereinstimmung zwischen dem Gedanken und etwas außerhalb des Denkens Liegendem besteht – das Denken niemals feststellen kann, wann die Wahrheit erreicht ist, dazu gebracht worden, eine Definition der Wahrheit zu suchen, die nicht auf etwas völlig außerhalb des Denkens Liegendes Bezug nimmt. Der wichtigste dieser Versuche ist die sogenannte *Kohärenztheorie* der Wahrheit. Sie bezeichnet es als Merkmal der Falschheit eines Gedankens, wenn er sich nicht widerspruchslos in die Gesamtheit unserer Meinungen einordnet, und das Wesen jeder Wahrheit besteht nach ihr darin, Teil eines vollkommen abgeschlossenen Systems zu sein, das »Die Wahrheit« ist.

Diese Auffassung bringt jedoch eine oder vielmehr zwei ganz große Schwierigkeiten mit sich. Erstens gibt es keinen Grund für die Annahme, daß überhaupt nur *eine* Gesamtheit kohärenter Meinungen möglich ist. Es könnte sein, daß ein phantasiebegabter Schriftsteller eine Vergangenheit der Welt erfindet, die mit allem, was wir wissen, vollkommen übereinstimmt und doch etwas ganz anderes als die wirkliche Vergangenheit ist. In der Wissenschaft ist es sogar gang und gäbe, daß es zwei oder mehr Hypothesen gibt, die alle über einen Gegenstand bekannten Tatsachen erklären. Die Wissenschaftler versuchen zwar in solchen Fällen neue Tatsachen zu finden, die alle Hypothesen bis auf eine ausschließen; aber es gibt keinen Grund, warum sie damit immer Erfolg haben sollten.

Auch in der Philosophie ist es offenbar nichts Ungewöhnliches, wenn zwei miteinander rivalisierende Hypothesen alle Tatsachen erklären. Es ist z. B. möglich, daß das ganze Leben ein langer Traum ist und daß die Außenwelt nicht mehr Realität hat als die Traumdinge; aber obwohl eine solche Auffassung den bekannten Tatsachen nicht zu widersprechen scheint, gibt es doch keinen Grund, weshalb wir sie der Meinung des gesunden Menschenverstandes vorziehen sollten, nach der es andere Menschen und Dinge wirklich gibt. Die Kohärenztheorie der Wahrheit versagt also, weil es keinen Beweis gibt, daß es nur ein einziges kohärentes System geben kann.

Der zweite Einwand wäre so zu formulieren: Diese Definition von Wahrheit setzt die Bedeutung von »Kohärenz« als bekannt voraus, während doch in Wirklichkeit »Kohärenz« die Wahrheit der Gesetze der Logik voraussetzt. Zwei Sätze sind kohärent, wenn beide zugleich wahr sein können, und sie sind inkohärent, wenn wenigstens einer von ihnen falsch sein muß. Wenn wir nun feststellen wollen, ob zwei Sätze gleichzeitig wahr sein können, müssen wir solche Wahrheiten wie den Satz vom Widerspruch kennen. Z. B. folgt aus dem Satz vom Widerspruch, daß die beiden Sätze »Dieser Baum ist eine Buche« und »Dieser Baum ist keine Buche« nicht kohärent sind. Wenn wir nun aber versuchen wollten, den Satz vom Widerspruch selbst einem Kohärenztest zu unterwerfen, würden wir finden, daß – angenommen, er sei falsch – es überhaupt keine Inkohärenz zwischen Sätzen mehr geben könnte. Die Gesetze der Logik bilden also das Skelett oder den Rahmen, innerhalb dessen wir Sätze auf ihre Kohärenz testen können, sie selber aber können nicht mehr durch einen solchen Test geprüft werden.

Wir haben mit diesen beiden Einwänden begründet, warum man »Kohärenz« nicht als eigentliche *Bedeutung* von »Wahrheit« akzeptieren kann, obgleich die Kohärenz oft ein sehr wichtiges *Kriterium* liefert, mit dessen Hilfe man die Wahrheit von Sätzen überprüfen kann, nachdem erst einmal eine gewisse Menge von Wahrheiten vorgegeben ist.

Und so kommen wir wieder zu der Ansicht zurück, daß die *Übereinstimmung mit Tatsachen*, die Korrespondenz zwischen Meinung und Tatsache, das Wesen der Wahrheit ausmacht. Es muß jetzt nur präzise definiert werden, was wir eine »Tatsache« nennen und worin genau die Übereinstimmung zwischen Meinung und Tatsache bestehen muß, damit die Meinung wahr sein kann.

Wir müssen uns an unsere drei Forderungen erinnern und eine

Theorie der Wahrheit suchen, die (1) es zuläßt, daß die Wahrheit ein Gegenteil hat, nämlich die Falschheit, die (2) die Wahrheit zu einer Eigenschaft von Meinungen macht und (3) diese Eigenschaft ausschließlich von der Beziehung der Meinungen zu Dingen der Außenwelt abhängig sein läßt.

Die Notwendigkeit, auch die Falschheit zuzulassen, macht es unmöglich, die Meinung als eine Beziehung des Bewußtseins zu einem einzelnen Gegenstand aufzufassen, den man den Gegenstand der Meinung oder das Geglaubte nennen könnte. Wenn man das Glauben so betrachtete, käme man zu dem Ergebnis, daß es – wie die Bekanntschaft – keine Entgegensetzung von Wahrheit und Falschheit zuläßt, sondern immer wahr sein muß. Das kann man sich an Beispielen verdeutlichen. Othello glaubt fälschlich, daß Desdemona Cassio liebt. Wir können nicht sagen, daß dieses Glauben in einer Beziehung zu dem Gegenstand »Desdemonas Liebe zu Cassio« besteht, denn wenn es solch einen Gegenstand gäbe, wäre seine Meinung wahr. Es gibt in der Tat keinen solchen Gegenstand, und deshalb kann Othello keine Beziehung zu ihm haben; sein Glauben kann daher unmöglich in einer Beziehung zu diesem Gegenstand bestehen.

Man könnte sagen, daß es sich bei diesem Glauben um eine Beziehung zu einem anderen Gegenstand handelt, nämlich »daß Desdemona Cassio liebt«, aber wenn sie Cassio nicht liebt, dann ist es fast ebenso schwierig, die Existenz dieses Gegenstands anzunehmen wie die des vorigen, der »Liebe Desdemonas zu Cassio«. Deshalb ist es besser, sich nach einer Theorie umzusehen, die keinen Gebrauch von einer Beziehung des Bewußtseins zu einem einzigen Gegenstand macht.

Man denkt über Beziehungen meistens so, als ob sie stets zwischen *zwei* Gegenständen bestünden; aber das muß durchaus nicht immer der Fall sein. Einige Beziehungen bestehen zwischen drei Gegenständen, andere zwischen vier, usw. Nehmen wir z. B. die Beziehung »zwischen«. Wenn wir nur zwei Gegenstände zur Verfügung haben, ist die Beziehung »zwischen« unmöglich, wir brauchen mindestens drei. York liegt zwischen London und Edinburgh, aber wenn London und Edinburgh die einzigen Städte der Welt wären, gäbe es keine andere Stadt, die zwischen ihnen liegen könnte. Ebenso gehören zur Eifersucht drei Leute; es kann keine derartige Beziehung geben, in die weniger als drei Personen verwickelt sind. Ein Satz wie »A wünscht, daß B eine Ehe zwischen C und D stiftet« enthält eine viergliedrige Beziehung, d. h. A, B, C und D stehen in dieser Beziehung, und diese Beziehung kann nur in einer Form zum Ausdruck gebracht werden, in der alle vier erwähnt werden. Man könnte die Beispiele beliebig vermehren, aber das Gesagte macht schon deutlich, daß es Beziehungen gibt, die nur zwischen mehr als zwei Gegenständen bestehen können.

Die Beziehung, um die es sich beim *Urteilen* oder *Meinen* bzw. *Glauben* handelt, muß – wenn man der Falschheit einen gebührenden Platz einräumen will – eine Beziehung zwischen mehr als zwei Gegenständen sein. Wenn Othello glaubt, daß Desdemona Cassio liebt, dann darf er nicht nur den Gegenstand »Desdemonas Liebe zu Cassio« oder »daß Desdemona Cassio liebt« vor Augen haben, denn daraus würde folgen, daß es objektive Falschheiten geben muß, die unabhängig vom Bewußtsein bestehen, und diese Theorie läßt sich zwar logisch nicht widerlegen, sollte aber nach Möglichkeit vermieden werden. Es ist also leichter, die Möglichkeit der Falschheit zu erklären, wenn wir das Urteil als eine Beziehung auffassen, in der das Bewußtsein und die verschiedenen Gegenstände, um die es geht, je für sich vorkommen, d. h. Desdemona und Lieben und Cassio müssen alle als Glieder in der Beziehung auftreten, die besteht, wenn Othello glaubt, daß Desdemona Cassio liebt. Es handelt sich hier also um eine viergliedrige Beziehung, weil auch Othello ein Glied der Beziehung ist. Wenn wir von einer viergliedrigen Beziehung sprechen, meinen wir nicht, daß Othello eine bestimmte Beziehung zu Desdemona und dieselbe Beziehung auch zum Lieben und zu Cassio hat. Das könnte bei anderen Beziehungen als beim Glauben der Fall sein; aber das Glauben ist offensichtlich nicht eine Beziehung, die Othello zu *jedem* der drei anderen Glieder hat, sondern eine, die er zu den drei anderen *zusammen* hat. Es handelt sich nur um *eine* Beziehung des Glaubens oder Fürwahrhaltens, aber in ihr sind *vier* Gegenstände zusammengefaßt. Das reale Geschehen in dem Augenblick, in dem Othello seiner Täuschung erliegt, besteht also darin, daß die

»Glauben« genannte Beziehung die vier Gegenstände Othello, Desdemona, Lieben und Cassio zu einer komplexen Einheit zusammenfaßt. Was man Glauben, Meinung oder Urteil nennt, ist nichts anderes als diese Beziehung des Glaubens oder Urteilens, die ein Bewußtsein mit mehreren anderen Gegenständen verbindet. Ein *Akt* des Glaubens oder Urteilens besteht darin, daß zu einem bestimmten Zeitpunkt zwischen bestimmten Gegenständen eine Beziehung des Glaubens oder Urteilens auftritt.

Wir sind jetzt soweit, daß wir auseinander halten können, was ein wahres Urteil von einem falschen unterscheidet, und wollen noch einige Definitionen einführen. Bei jedem Urteilsakt gibt es ein Bewußtsein, das urteilt, und es gibt Gegenstände, über die es urteilt. Wir wollen das Bewußtsein das *Subjekt* und die übrigen Gegenstände die *Objekte* des Urteils nennen. Wenn Othello urteilt, daß Desdemona Cassio liebt, ist Othello das Subjekt, während Desdemona, Lieben und Cassio die Objekte sind. Subjekt und Objekte zusammen nennen wir die *Konstituentien*, die Bestandteile des Urteils. Man merkt, daß die Beziehung des Urteilens einen »Sinn«, eine »Richtung« hat. Bildlich gesprochen können wir sagen, daß sie ihre Gegenstände in eine bestimmte *Ordnung* bringt, die durch die Ordnung der Wörter im Satz gekennzeichnet werden kann. (In einer flektierten Sprache wird sie durch die Flexion gekennzeichnet, z. B. durch den Unterschied zwischen Nominativ und Akkusativ.) Othellos Urteil, daß Cassio Desdemona liebt, ist ein anderes Urteil als daß Desdemona Cassio liebt, obgleich beide dieselben Konstituentien haben; denn die Urteilsbeziehung ordnet die Konstituentien im ersten Falle anders an als im zweiten. Und wenn Cassio urteilt, daß Desdemona Othello liebt, handelt es sich immer noch um dieselben Bestandteile, aber wieder um eine andere Anordnung. Diese Eigenschaft des »Sinnhabens«, des »Gerichtetseins«, teilt die Urteilsbeziehung mit allen anderen Beziehungen. Im »Sinn« von Beziehungen liegt der Ursprung von »Ordnung« und »Reihe« und einer Menge mathematischer Begriffe; aber wir brauchen uns hier mit diesem Aspekt nicht zu befassen.

Wir haben gesagt, daß die »Urteilen«, »Meinen« oder »Glauben« genannte Beziehung das Subjekt und die Objekte zu einem komplexen Ganzen verbindet. In dieser Hinsicht verhält sich das Urteilen wie jede andere Beziehung. Sobald eine Beziehung zwischen zwei oder mehr Gegenständen besteht, vereinigt sie diese zu einem komplexen Ganzen. Wenn Othello Desdemona liebt, gibt es das komplexe Ganze »Othellos Liebe zu Desdemona«. Die Glieder einer Beziehung können selber komplex oder einfach sein, aber das Ganze, das sich aus ihrer Vereinigung ergibt, muß immer komplex sein. Wo immer eine Beziehung bestimmte Gegenstände verbindet, entsteht durch die Vereinigung dieser Gegenstände ein komplexer Gegenstand, und umgekehrt: Wo immer es einen komplexen Gegenstand gibt, gibt es auch eine Beziehung, die seine Bestandteile miteinander verbindet. Wenn sich ein Akt des »Meinens« oder »Glaubens« ereignet, gibt es einen Komplex, in dem »Glauben« die einigende Beziehung ist und in dem Subjekt und Objekte durch den »Sinn« der Beziehung in eine bestimmte Ordnung gebracht werden. Wir haben bei der Betrachtung von »Othello glaubt, daß Desdemona Cassio liebt« gesehen, daß eines der Objekte eine Beziehung sein muß – in diesem Falle »Lieben«. Aber diese Beziehung, die in dem Akt vorkommt, ist nicht die Beziehung, die die Einheit des komplexen Ganzen von Subjekt und Objekten schafft. Die Beziehung »Lieben«, die im Urteilsakt auftritt, ist eines der Objekte – sie ist ein Stein des Gebäudes, nicht der Mörtel, der die Steine zusammenhält. Der Mörtel ist die Beziehung »Glauben« (bzw. »Meinen« oder »Urteilen«). Wenn die Meinung *wahr* ist, dann gibt es noch eine komplexe Einheit, in der die Beziehung, die eines der Objekte des Urteilsaktes war, die übrigen Objekte miteinander verbindet. Wenn z. B. Othello *mit Recht* glaubt, daß Desdemona Cassio liebt, dann gibt es die komplexe Einheit »Desdemonas Liebe zu Cassio«, die ausschließlich aus *Objekten* des Urteils besteht und in der die Beziehung, die vorher eines der Objekte war, den Mörtel bildet, der die übrigen Objekte des Urteils miteinander verbindet. Wenn andererseits eine Meinung *falsch* ist, dann gibt es keine solche komplexe Einheit, die nur aus den Objekten des Urteilens besteht. Wenn Othello *fälschlich* glaubt, daß Desdemona Cassio liebt, gibt es die komplexe Einheit »Desdemonas Liebe zu Cassio« nicht.

Eine Meinung (bzw. ein Urteil oder ein Glaube) ist also *wahr*, wenn sie einem gewissen zu ihr gehörenden Komplex *korrespondiert*, und *falsch*, wenn sie das nicht tut. Nehmen wir der Deutlichkeit halber einmal an, daß die Objekte des Urteils zwei Gegenstände und eine Beziehung sind, wobei die Gegenstände durch den »Sinn« der Urteilsbeziehung in eine bestimmte Ordnung gebracht sind: wenn dann beide Gegenstände in dieser Anordnung durch die Beziehung zu einem Komplex vereinigt werden, ist das Urteil wahr, sonst ist es falsch. Hier haben wir nun die Definition von Wahrheit und Falschheit, nach der wir gesucht haben: Urteilen, Glauben oder Meinen ist eine gewisse komplexe Einheit, zu deren Konstituentien ein Bewußtsein gehört; wenn die übrigen Konstituentien in der Anordnung, die sie im Urteil haben, eine komplexe Einheit bilden, ist das Urteil wahr; wenn sie keine solche komplexe Einheit bilden, ist das Urteil falsch.

Obgleich also Wahrheit und Falschheit Eigenschaften von Meinungen oder Urteilen sind, sind sie in einem gewissen Sinne äußerliche Eigenschaften; denn die Bedingung der Wahrheit einer Meinung ist etwas, das kein Glauben oder Bewußtsein überhaupt involviert, sondern nur durch die *Objekte* dieser Akte gegeben wird. Ein Bewußtsein, das etwas glaubt, hat recht, wenn es einen korrespondierenden Komplex gibt, der das Bewußtsein selbst nicht einschließt, sondern nur seine Gegenstände. Diese Korrespondenz, dieses Entsprechen, garantiert die Wahrheit, und wenn es fehlt, folgt daraus die Falschheit unserer Meinung. Damit erklären wir gleichzeitig zwei Tatsachen: (a) Die Existenz von Meinungen bzw. Urteilen hängt vom Bewußtsein ab, aber (b) ihre *Wahrheit* hängt nicht vom Bewußtsein ab.

Wir können unsere Theorie noch einmal so formulieren: Wenn wir ein Urteil haben wie »Othello glaubt, daß Desdemona den Cassio liebt«, dann wollen wir Desdemona und Cassio die *Objektglieder* und »Lieben« die *Objektbeziehung* nennen. Wenn es nun eine komplexe Einheit »Desdemonas Liebe zu Cassio« gibt, in der die Objektglieder durch die Objektbeziehung in der gleichen Ordnung, die sie im Urteil haben, miteinander verbunden sind, dann nennt man diese komplexe Einheit *die Tatsache, die dem Urteil entspricht*. Ein Urteil ist also

wahr, wenn es eine ihm entsprechende Tatsache gibt, und falsch, wenn es keine solche Tatsache gibt.
Man sieht daraus, daß das Bewußtsein Wahrheit oder Falschheit nicht *erschafft*. Es bringt Urteile und Meinungen hervor; aber wenn es sie einmal hervorgebracht hat, kann das Bewußtsein sie nicht wahr oder falsch machen, außer in den Fällen, wo es um zukünftige Ereignisse geht, deren Eintreten in der Macht der urteilenden Person steht, etwa wenn es darum geht, einen Zug noch zu erreichen. Was eine Meinung wahr macht, ist eine *Tatsache*, und diese Tatsache hat (außer in Ausnahmefällen) nichts mit dem Bewußtsein der Person zu tun, die diese Meinung hat.
Nachdem wir nun festgestellt haben, was »Wahrheit« und »Falschheit« bedeuten, müssen wir überlegen, auf welche Weise sich erkennen läßt, ob diese oder jene uns vorgetragene Meinung wahr oder falsch ist. Diese Frage wird im nächsten Kapitel behandelt.

13 Wissen, Irrtum und Wahrscheinlichkeit

Die Frage, was wir unter Wahrheit und Falschheit verstehen sollen, die wir im letzten Kapitel behandelt haben, ist viel weniger dringlich als die Frage, wie wir erkennen können, was wahr und was falsch ist. Und diese Frage wird uns jetzt beschäftigen. Ganz ohne Zweifel sind wenigstens einige unserer Meinungen Irrtümer; wir müssen also fragen, ob und welche Gewißheit wir erreichen können, daß diese oder jene Meinung kein Irrtum ist. Mit anderen Worten: Können wir jemals etwas *wissen*, oder treffen wir nur manchmal mit etwas Glück die richtige Meinung? Bevor wir weiter auf diese Frage eingehen, müssen wir feststellen, was »wissen« bedeutet, und das ist gar nicht so einfach, wie man annehmen möchte.

Auf den ersten Blick scheint es so, als ob wir Wissen als »wahre Meinung« definieren könnten. Wenn das, was wir glauben, wahr ist – so könnte man annehmen –, dann haben wir es zu einem Wissen des von uns Geglaubten gebracht. Diese Auffassung stünde aber nicht im Einklang mit dem gewöhnlichen Sprachgebrauch. Um ein ganz triviales Beispiel* zu nennen: Wenn jemand glaubt, daß der Nachname des verstorbenen Premierministers mit einem B beginnt, hat er Recht, denn es handelt sich um Sir Henry Campbell Bannerman. Wenn er aber glaubt, daß Mr. Balfour der Premierminister war, wird er immer noch glauben, daß der Name mit einem B begann, und doch würde diese durchaus richtige Meinung kein Wissen sein. Wenn eine Zeitung einer gescheiten Prognose folgt und den Ausgang einer Schlacht meldet, bevor die Telegramme vom Kriegsschauplatz eingelaufen sind, kann sie Glück haben; ihre Meldung stellt sich nachträglich als richtig heraus, und ihre weniger gewitzten Leser nehmen alles für bare Münze. Aber wenn die Meinung der Leser über den Ausgang der Schlacht auch richtig ist, kann man doch nicht sagen, daß sie ein Wissen über diesen Ausgang besäßen. Es ist also

* Ein im Jahre 1912 triviales Beispiel! Campbell Bannerman starb 1908. *(Anm. d. Üb.)*

klar, daß eine wahre Meinung kein Wissen ist, wenn sie aus einer falschen Meinung abgeleitet ist.
Ebensowenig kann eine wahre Meinung als Wissen gelten, wenn sie durch ein unzulässiges Schlußverfahren hergeleitet worden ist, selbst wenn die Prämissen des Schlusses wahr sein sollten. Wenn ich weiß, daß alle Griechen Menschen waren und daß Sokrates ein Mensch war, und wenn ich daraus schließe, daß Sokrates ein Grieche war, kann man nicht sagen, ich *wüßte*, daß Sokrates ein Grieche war. Meine Prämissen und mein Schlußsatz sind zwar wahr, aber dieser Schlußsatz folgt nicht aus den Prämissen.
Müssen wir also feststellen, daß nur das als Wissen gelten kann, was durch ein zulässiges Schlußverfahren aus wahren Prämissen gefolgert worden ist? Ganz offensichtlich können wir das nicht behaupten. Eine solche Definition wäre gleichzeitig zu weit und zu eng. Sie wäre zu weit, weil es nicht genügt, wenn unsere Prämissen *wahr* sind, sie müssen außerdem noch *gewußt* werden. Unser Mann, der glaubt, daß der verstorbene Premierminister Mr. Balfour war, kann gültige Schlüsse aus der wahren Prämisse ziehen, daß der Name des verstorbenen Premierministers mit B begann, aber man kann nicht sagen, daß die Folgerungen, zu denen er kommt, ein *Wissen* sind. Wir müssen also unsere Definition erweitern, indem wir sagen, daß Wissen dasjenige ist, was durch gültige Schlüsse aus schon *gewußten* Prämissen gefolgert wird. Und damit befinden wir uns in einem Zirkel; denn wir setzen hier ja schon voraus, daß wir wissen, was »gewußte Prämissen« sind. Wir können dadurch bestenfalls eine Sorte von Wissen oder Erkenntnis definieren, nämlich die Art, die wir im Gegensatz zur intuitiven als abgeleitete Erkenntnis bezeichnen. Wir können sagen: »*Abgeleitete* Erkenntnis ist, was aus intuitiv erkannten Prämissen richtig hergeleitet worden ist.« Diese Aussage hat keine formalen Mängel, läßt jedoch die Definition *intuitiver* Erkenntnis offen.
Lassen wir die Frage nach der intuitiven Erkenntnis noch für einen Augenblick beiseite und beschäftigen uns statt dessen mit der vorgeschlagenen Definition abgeleiteter Erkenntnis. Man muß gegen sie einwenden, daß sie den Umfang unseres Wissens unzulässig einschränkt. Es geschieht immer wieder, daß

Leute eine wahre Meinung haben, die in ihnen aus einem Stück intuitiver Erkenntnis gleichsam hervorgewachsen ist und die man aus dieser intuitiven Erkenntnis auch formal richtig ableiten könnte, was sie aber eben nicht getan haben.

Nehmen wir z. B. die Meinungen, zu denen wir durch Lektüre kommen. Wenn die Zeitungen den Tod des Königs bekanntgeben, haben wir guten Grund zu glauben, daß der König wirklich tot ist; denn dies ist die Art von Nachricht, die man nicht zu drucken pflegt, wenn sie falsch ist. Und wir haben reichlichen Grund zu glauben, daß die Zeitung behauptet, der König wäre tot. Aber hier besteht die intuitive Erkenntnis, auf der unser Glaube beruht, in der Erkenntnis der Existenz von Sinnesdaten, zu der wir kommen, wenn wir die mit Nachrichten bedruckte Seite ansehen. Dieser Vorgang wird dem Leser aber kaum bewußt, es sei denn, ihm fiele das Lesen schwer. Ein Kind mag die Gestalt der Buchstaben wahrnehmen und ihrer Bedeutung langsam und mit schmerzlicher Mühe innewerden, aber jeder, der das Lesen gewohnt ist, geht ohne weiteres zur Bedeutung der Buchstaben über und bemerkt gar nicht – außer in der Reflexion –, daß sein Wissen von den Sinnesdaten abstammt, die man das Sehen der gedruckten Lettern nennt. Der Schluß von den Buchstaben auf ihre Bedeutung ist also möglich und *könnte* vom Leser ausgeführt werden; er wird aber nicht ausgeführt, weil der Leser ja in Wirklichkeit keine Handlung vollführt, die man als ein logisches Schließen bezeichnen könnte. Und doch wäre es absurd zu behaupten, daß der Leser nicht *weiß*, daß die Zeitung den Tod des Königs bekanntgibt.

Wir müssen also als abgeleitete Erkenntnis alles zulassen, was sich – selbst durch bloße Assoziation – aus intuitiver Erkenntnis ergibt, vorausgesetzt, daß eine gültige logische Verbindung besteht und die fragliche Person sie durch Reflexion herausfinden könnte. Tatsächlich gibt es neben dem logischen Schließen noch viele andere Arten, von einer Meinung zur anderen überzugehen. Der Übergang von der gedruckten Nachricht zu ihrer Bedeutung illustriert das. Man könnte hier von »psychologischen Schlüssen« sprechen. Wir müssen also psychologische Schlüsse als ein Mittel, durch das man abgeleitete Erkenntnis erreichen kann, zulassen: immer vorausgesetzt, es gibt einen entdeckbaren logischen Schluß, der zu dem psychologischen Schluß parallel verläuft. Unsere Definition der abgeleiteten Erkenntnis wird dadurch weniger präzise als wir sie uns wünschen, denn das Wort »entdeckbar« ist vage: es sagt nichts darüber aus, wieviel Reflexion wir brauchen, um die Entdekkung zu machen. Aber auch »Erkenntnis« (bzw. »Wissen«) ist kein präziser Begriff: es gibt da ineinander verfließende Übergänge zur »wahrscheinlich wahren Meinung«, wie wir im Lauf dieses Kapitels noch ausführlicher sehen werden. Man sollte deshalb gar nicht nach einer ganz präzisen Definition suchen, weil sie mehr oder weniger irreführend ausfallen müßte.

Unser Hauptproblem ist jedoch nicht die abgeleitete, sondern die intuitive Erkenntnis. Solange wir es mit abgeleiteter Erkenntnis zu tun haben, können wir immer auf den Prüfstein der intuitiven Erkenntnis zurückgreifen. Aber wenn es um intuitive Überzeugungen geht, ist es keineswegs einfach, ein Kriterium zu entdecken, mit dessen Hilfe wir einige als wahr auszeichnen und andere als falsch verwerfen können. Es ist kaum möglich, hier zu besonders zuverlässigen Ergebnissen zu kommen: unserer Erkenntnis von Wahrheiten ist immer ein Schuß Zweifel beigemischt, und eine Theorie, die diesen Umstand vernachlässigte, würde einfach falsch sein. Immerhin kann man einiges tun, um die Schwierigkeiten der Frage zu vermindern.

Unsere Theorie der Wahrheit ermöglicht es, einige Wahrheiten als *evident* in einem Sinne auszuzeichnen, der ihre Unfehlbarkeit garantiert. Wenn ein Urteil wahr ist, so haben wir gesagt, gibt es eine korrespondierende Tatsache, die die verschiedenen Objekte des Urteils zu einer komplexen Einheit zusammenfaßt. Man sagt, daß das Urteil *Erkenntnis* dieser Tatsache konstituiert, vorausgesetzt, daß es außerdem noch die etwas vagen Bedingungen erfüllt, die wir in diesem Kapitel erörtert haben. Aber von jeder Tatsache kann es außer der durch Urteil konstituierten auch noch eine durch Wahrnehmung (im weitesten Sinne des Worts) konstituierte Erkenntnis geben. Wenn man z. B. weiß, wann die Sonne untergeht, kann man zu dem betreffenden Zeitpunkt die Tatsache erkennen, daß die Sonne untergeht: das ist Erkenntnis von Tatsachen ver-

möge des Wissens von *Wahrheiten;* aber bei schönem Wetter kann man außerdem auch nach Westen blicken und den Sonnenuntergang selber sehen: das ist dann Erkenntnis der Tatsache vermöge der Kenntnis von *Dingen.*
Es gibt also bei jeder komplexen Tatsache theoretisch zwei Erkenntnismöglichkeiten:
1) vermittels eines Urteils, in dem man ihre verschiedenen Bestandteile so zueinander in Beziehung setzt, wie sie sich auch in Wirklichkeit verhalten, und
2) vermittels der Bekanntschaft mit der komplexen Tatsache selbst, die man Wahrnehmung (im weiteren Sinne) nennen kann, auch wenn sie nicht auf die Gegenstände der Sinneswahrnehmung beschränkt bleibt. Wir merken nun, daß die zweite Art der Erkenntnis einer komplexen Tatsache, die Bekanntschaft, nur möglich ist, wenn es solch eine Tatsache auch wirklich gibt, während die erste Art – wie alles Urteilen – der Möglichkeit des Irrtums ausgesetzt ist. Die Bekanntschaft gibt uns das komplexe Ganze und ist deshalb nur insofern möglich, als die Teile faktisch die Beziehung zueinander haben, die sie zu einem solchen Komplex verbindet. Im Gegensatz dazu gibt uns das Urteil die Teile und ihre Beziehung zueinander je für sich und setzt nur die Wirklichkeit der Teile und der Beziehung voraus: es kann durchaus sein, daß diese Beziehung diese Teile eben nicht auf diese Art miteinander verbindet, und trotzdem kann das Urteil gefällt werden.
Wie wir uns erinnern, hatten wir am Schluß des Kapitels 11 vermutet, daß es zwei Arten von Evidenz geben könnte, von denen eine eine absolute und die andere nur eine bedingte Garantie der Wahrheit wäre. Diese Unterscheidung läßt sich jetzt erklären.
Wir können sagen, daß eine Wahrheit im ersten und ganz absoluten Sinne evident ist, wenn die Tatsache, die der Wahrheit korrespondiert, uns bekannt ist. Wenn Othello glaubt, daß Desdemona Cassio liebt, dann wäre – wenn er recht hat – die entsprechende Tatsache »Desdemonas Liebe zu Cassio«. Das wäre eine Tatsache, die niemandem außer Desdemona bekannt sein könnte; in dem Sinn von Evidenz, um den es uns hier geht, könnte also die Wahrheit – wenn es eine wäre –, daß Desdemona Cassio liebt, nur Desdemona selbst evident

sein. Alle Tatsachen des Bewußtseins oder des Gefühls und auch alle Tatsachen über Sinnesdaten besitzen diese eigentümliche Privatheit: es gibt nur eine Person, der sie absolut evident sein können; denn nur dieser Person sind die Vorgänge oder die Daten, um die es sich handelt, bekannt. Es kann also keine Tatsache, die ein existierendes Einzelding betrifft, mehr als einer Person absolut evident sein. Andererseits kommt Tatsachen, die Universalien betreffen, diese Privatheit nicht zu. Die gleichen Universalien können dem Bewußtsein vieler Personen bekannt sein, und deshalb können auch Beziehungen zwischen Universalien den verschiedensten Menschen bekannt sein. In allen Fällen, wo wir eine komplexe Tatsache kennen, die aus mehreren durch eine bestimmte Beziehung miteinander verbundenen Gegenständen besteht, sagen wir, daß die Wahrheit, *daß* diese Gegenstände in dieser Beziehung zueinander stehen, Evidenz der ersten Art oder absolute Evidenz besitzt, und in diesen Fällen *muß* das Urteil, daß diese Gegenstände eben diese Beziehung zueinander haben, wahr sein. Diese Form von Evidenz ist also ein absoluter Garant der Wahrheit.

Aber wenn diese Evidenz auch eine absolute Garantie der Wahrheit gibt, versetzt sie uns doch nicht in die Lage, bei irgendeinem gegebenen Urteil *absolut* sicher zu sein, daß gerade dieses Urteil wahr ist. Angenommen, wir nehmen wahr, daß die Sonne scheint (was eine komplexe Tatsache ist), und fällen daraufhin das Urteil »Die Sonne scheint«. Beim Übergang von der Wahrnehmung zum Urteil müssen wir die uns gegebene komplexe Tatsache analysieren: wir müssen »die Sonne« und »scheint« als Bestandteile der Tatsache isolieren. Und es ist möglich, daß wir dabei einen Irrtum begehen. Selbst wenn eine *Tatsache* Evidenz der ersten oder absoluten Art besitzt, ist ein Urteil, das nach unserem Dafürhalten der Tatsache korrespondiert, noch nicht absolut unfehlbar, weil es der Tatsache in Wirklichkeit vielleicht doch nicht entspricht. Aber wenn es ihr entspricht (in dem Sinne, den wir im voraufgegangenen Kapitel erklärt haben), dann *muß* es wahr sein.

Die zweite Art von Evidenz muß primär Urteilen zukommen und nicht aus der unmittelbaren Wahrnehmung einer

Tatsache als einer komplexen Einheit abgeleitet sein. Diese zweite Art von Evidenz hat Grade, vom höchsten Grad der Sicherheit bis hinunter zu einer bloßen Neigung zugunsten des Fürwahrhaltens. Nehmen wir z. B. ein Pferd, das auf einer gepflasterten Straße wegtrabt. Zuerst sind wir ganz sicher, daß wir das Geräusch der Hufe hören, nach und nach kommt, während wir aufmerksam lauschen, der Augenblick, wo wir denken, daß es bloß Einbildung ist, was wir hören, oder der Fensterladen über uns, oder das Geräusch unseres eigenen Herzschlags; zuletzt beginnen wir zu zweifeln, ob da überhaupt noch ein Geräusch ist; dann *denken* wir, daß wir nichts mehr hören, und endlich *wissen* wir, daß alles still ist. Bei diesem Vorgang gibt es eine kontinuierliche Abstufung der Evidenz, vom höchsten Grad der Gewißheit bis zum geringsten, und zwar nicht in den Sinnesdaten, sondern in den Urteilen, die auf ihnen basieren.

Oder ein anderes Beispiel: Nehmen wir an, daß wir zwei Farbtöne miteinander vergleichen, ein Blau und ein Grün. Wir können ganz sicher sein, daß es sich um verschiedene Farben handelt; aber wenn sich die grüne Farbe allmählich so verändert, daß sie der blauen immer ähnlicher wird, zuerst blaugrün, dann grünlich-blau, dann blau, wird ein Moment kommen, wo wir zweifeln, ob wir jetzt noch einen Unterschied feststellen können, und noch etwas später wissen wir, daß wir keinen Unterschied mehr sehen können. Das gleiche geschieht, wenn man Musikinstrumente stimmt, überhaupt in allen Fällen, wo es kontinuierliche Abstufungen gibt. Evidenz dieser Art ist also ein Sache des Grades, und es ist wohl klar, daß die höheren Grade glaubwürdiger sind als die niederen.

Bei der abgeleiteten Erkenntnis müssen unsere ersten Prämissen einen gewissen Grad von Evidenz haben, und das gilt auch für die Beziehung zu den Folgerungen, die man aus ihnen zieht. Nehmen wir zum Beispiel einen geometrischen Beweis. Es genügt nicht, daß die Axiome, von denen wir ausgehen, evident sind; es ist auch notwendig, daß bei jedem Beweisschritt der Zusammenhang zwischen Prämissen und Folgerung einsichtig wird. Bei schwierigen Beweisen ist dieser Zusammenhang oft nur in geringem Maße evident, und deshalb sind dann Denkfehler gar nicht unwahrscheinlich.

Aus dem, was wir gesagt haben, geht hervor, daß es sowohl bei intuitiver als auch bei abgeleiteter Erkenntnis Stufen der Glaubwürdigkeit gibt, wenn wir annehmen, daß die intuitive Erkenntnis nach dem Grad ihrer Evidenz glaubwürdig ist, angefangen bei der Existenz der auffallendsten Sinnesdaten und den einfacheren Wahrheiten der Logik und der Arithmetik und bis hin zu Urteilen, die uns gerade noch ein bißchen wahrscheinlicher vorkommen als ihr Gegenteil. Was wir fest glauben, wird – wenn es wahr ist – *Wissen* genannt, vorausgesetzt, daß es uns intuitiv gegeben oder (logisch oder psychologisch) aus intuitiver Erkenntnis, aus der es logisch folgen muß, abgeleitet ist. Was wir fest glauben, wird – wenn es nicht wahr ist – *Irrtum* genannt. Wenn wir etwas fest glauben, das weder Wissen noch Irrtum ist, oder wenn wir etwas nur zögernd glauben, weil entweder es selbst oder die Prämissen, aus denen es gefolgert wurde, nicht im höchsten Grade evident sind, können wir von einer mehr oder minder *wahrscheinlichen Meinung* sprechen. Bei dem größten Teil dessen, was normalerweise als Wissen passieren würde, handelt es sich um mehr oder weniger wahrscheinliche Meinungen.

Wenn es um solche Meinungen geht, kann uns die *Kohärenz* sehr nützlich werden, die wir als *Definition* der Wahrheit verworfen haben, die als *Kriterium* aber oft recht brauchbar ist. Eine Gesamtheit je für sich wahrscheinlicher Meinungen wird, wenn alle Meinungen untereinander kohärent sind, als Ganzes wahrscheinlicher, als es ihre Mitglieder je für sich sind. Auf eben diese Weise werden viele wissenschaftliche Hypothesen untermauert. Sie passen in ein kohärentes System wahrscheinlicher Meinungen und werden dadurch wahrscheinlicher, als sie es für sich genommen wären. Und das gilt auch für allgemeine philosophische Hypothesen. Für sich betrachtet erscheinen solche Hypothesen oft höchst zweifelhaft; aber wenn man die Ordnung und Kohärenz sieht, die sie in eine Menge wahrscheinlicher Meinungen bringen, gewinnen sie eine nahezu überzeugende Wahrscheinlichkeit. Das gilt besonders für solche Dinge wie den Unterschied zwischen Träumen und wachem Leben. Wenn unsere Träume Nacht für Nacht so kohärent wären wie unser Tageslauf, würden wir kaum wissen, ob wir unseren Träumen oder den Erlebnissen, die wir tagsüber haben, mehr Glauben schenken sollen. So wie die Dinge liegen, bestätigt das Kriterium der Kohärenz den Tageslauf und verwirft die Träume. Allerdings vermehrt dieses Kriterium – wenn es mit positivem Erfolg angewandt wird – nur die Wahrscheinlichkeit unserer Meinungen, es kann uns niemals absolute Gewißheit geben, wenn diese nicht schon an irgendeinem Punkt in unserem kohärenten System aufgetreten ist. Daher wird sich die bloße Organisation mehr oder weniger wahrscheinlicher Meinungen niemals von selbst in unbezweifelbares Wissen verwandeln.

14 Die Grenzen philosophischer Erkenntnis

Bei allem, was wir bisher über die Philosophie gesagt haben, haben wir viele Themen kaum gestreift, die in den Schriften der meisten Philosophen einen breiten Raum einnehmen. Die meisten Philosophen – oder jedenfalls sehr viele – behaupten, daß sie durch apriorische metaphysische Argumente solche Dinge wie die fundamentalen Dogmen der Religion, die wesentliche Rationalität des Universums, den illusorischen Charakter der Materie, die Nichtexistenz des Bösen usf. beweisen könnten. Ganz ohne Zweifel ist die Hoffnung, Gründe für solche Thesen zu finden, die wesentliche Inspiration vieler gewesen, die ihr Leben dem Studium der Philosophie gewidmet haben. Ich glaube, daß diese Hoffnung eitel ist. Es scheint so, als ob die Erkenntnis des Universums als eines Ganzen durch die Metaphysik nicht erreicht werden kann, und daß Beweise, die besagen, aufgrund der Gesetze der Logik *müßten* diese oder jene Dinge existieren und andere nicht existieren, einer kritischen Prüfung nicht standhalten. In diesem Kapitel wollen wir kurz betrachten, wie solche Argumente angelegt sind. Wir werden sehen, ob sich dabei etwas zeigt, auf dessen Haltbarkeit man hoffen darf.

Der bedeutendste neuzeitliche Repräsentant der Denkweise, die wir hier prüfen wollen, war Hegel (1770–1831). Seine Philosophie ist äußerst schwierig, und die Interpreten streiten über ihre richtige Auslegung. Nach der Interpretation, die ich hier übernehmen werde, der auch viele, wenn nicht die meisten Hegelianer* zustimmen, und die außerdem das Verdienst hat, eine interessante und bedeutsame Art von Philosophie abzugeben, ist Hegels Hauptthese, daß alles, was weniger als das Ganze ist, offensichtlich unvollständig ist und ebenso offensichtlich ohne sein Komplement, die übrige Welt, nicht existieren kann. Wie der vergleichende Anatom aus einem

* Damit sind die englischen Hegelianer gemeint, deren bedeutendste Vertreter F. H. Bradley (1846–1924) und John McTaggart (1866–1925) waren. *(Anm. d. Üb.)*

einzigen Knochen sehen kann, um was für ein Tier es sich gehandelt haben muß, so muß der Philosoph nach Hegel jedem beliebigen Stück der Wirklichkeit ansehen, was die ganze Wirklichkeit sein muß – wenigstens in ihren großen Umrissen. An jedem scheinbar selbständigen Stück Wirklichkeit gibt es gleichsam Haken, die in das nächste Stück Wirklichkeit greifen, und dies hat wiederum seine Haken, und so geht es weiter, bis der Zusammenhang des ganzen Universums hergestellt ist. Die wesentliche Unvollständigkeit des einzelnen erscheint nach Hegel sowohl in der Welt des Denkens als auch in der Welt der Dinge. Wenn wir in der Welt des Denkens eine Idee aufgreifen, die abstrakt oder unvollständig ist, finden wir bei genauerer Prüfung, daß wir uns in Widersprüche verwickeln, sobald wir von ihrer Unvollständigkeit absehen; diese Widersprüche verwandeln die Idee in ihr Gegenteil, ihre Antithese, und um ihnen zu entgehen, müssen wir eine neue, weniger unvollständige Idee finden, die die Synthese der ursprünglichen Idee und ihrer Antithese ist. Diese neue Idee ist zwar weniger unvollständig als die Idee, von der wir ausgegangen sind, aber man wird dennoch finden, daß sie noch nicht ganz vollständig ist; sie wird in ihre Antithese übergehen, mit der sie in einer erneuten Synthese verbunden werden muß. Auf diese Weise schreitet Hegel fort, bis er die »Absolute Idee« erreicht, an der es nach ihm keine Unvollständigkeit, kein Gegenteil und keinen Zwang zur Weiterentwicklung mehr gibt. Deshalb ist die absolute Idee eine adäquate Beschreibung der absoluten Wirklichkeit; aber alle niederen Ideen beschreiben die Wirklichkeit nur so, wie sie einem eingeschränkten Blick erscheint, und nicht so, wie sie jemandem erscheinen würde, der das Ganze mit *einem* Blick erfaßte. So kommt Hegel zu dem Schluß, daß die absolute Wirklichkeit ein einziges harmonisches System bildet, das nicht in Raum oder Zeit ist, an dem nichts Böses ist, ein System, das ganz und gar rational und ganz und gar geistig ist. Jede Erscheinung in der uns bekannten Welt, die dem widerspricht, kann nach ihm logisch auf unsere fragmentarische, zerstückelte Anschauung des Universums zurückgeführt werden. Wenn wir das Universum als Ganzes sähen – so, wie wir es Gott zuschreiben dürfen –, würden Raum, Zeit und Materie, das Böse und aller Kampf und

Streit verschwinden, und wir würden statt dessen eine ewige, vollkommene, unveränderliche geistige Einheit sehen.
In diesem Gedanken ist ohne Zweifel etwas Erhabenes, etwas, dem wir zustimmen möchten. Und doch, wenn wir die Argumente, die ihn stützen, sorgsam prüfen, scheinen sie eine Menge Konfusion und viele ganz unbegründete Annahmen zu enthalten. Der Grundsatz, auf dem das System aufgebaut ist, heißt: Was unvollständig ist, kann nicht selbständig sein, es bedarf der Unterstützung durch andere Dinge, damit es existieren kann. Es wird behauptet, daß, was immer Beziehungen zu außerhalb seiner selbst liegenden Dingen habe, in seinem eigenen *Wesen* einen Bezug auf diese Außendinge enthalten müsse und nicht sein könnte, was es ist, wenn es diese Außendinge nicht gäbe. Z. B. wird das Wesen eines Menschen durch seine Erinnerungen und sein übriges Wissen konstituiert, durch sein Lieben, sein Hassen usf.; und so könnte er ohne die Gegenstände, die er liebt oder haßt oder erkennt, nicht der sein, der er ist. Er ist wesentlich und offensichtlich ein Fragment: wenn man ihn für die Summe der Wirklichkeit nähme, ergäbe sich ein Widerspruch.
Dieses ganze Argument dreht sich um den Begriff des »Wesens« eines Dings, der zu bedeuten scheint: »Alle Wahrheiten, die es über das Ding gibt«. Und natürlich könnte es eine Wahrheit, die ein Ding mit einem anderen Ding verknüpft, nicht geben, wenn es das andere Ding nicht gäbe. Aber eine Wahrheit über ein Ding ist nicht ein Teil des Dings selbst, obgleich sie – nach dem eben erklärten Gebrauch des Begriffs – zum »Wesen« des Dings gehören muß. Wenn wir unter dem »Wesen« eines Dings alle Wahrheiten über das Ding verstehen, ist es klar, daß wir sein »Wesen« nicht erkennen können, bevor wir seine sämtlichen Beziehungen zu allen anderen Dingen im Universum kennen. Aber wenn das Wort »Wesen« in diesem Sinne gebraucht wird, müssen wir behaupten, daß ein Ding erkannt werden kann, auch wenn sein »Wesen« unbekannt oder jedenfalls doch unvollständig bekannt ist. Bei diesem Gebrauch des Wortes »Wesen« bringt man die Erkenntnis von Dingen und die Erkenntnis von Wahrheiten durcheinander. Wir können ein Ding durch Bekanntschaft erkennen, selbst wenn uns nur sehr wenige Sätze über dieses Ding zu Ge-

bote stehen – theoretisch brauchten wir keinen einzigen solchen Satz zu kennen. Bekanntschaft mit einem Ding impliziert also keine Erkenntnis seines »Wesens« im angeführten Sinne. Und obwohl Bekanntschaft mit einem Ding zur Erkenntnis beliebiger Sätze über Dinge gehört, spielt die Erkenntnis seines »Wesens« auch hierbei keine Rolle. Es folgt also nicht: (1) aus der Bekanntschaft mit einem Ding die Kenntnis seiner Beziehungen, und (2) aus der Kenntnis einiger seiner Beziehungen die Kenntnis seiner sämtlichen Beziehungen oder die Erkenntnis seines »Wesens« im oben erläuterten Sinne. Z. B. sind mir meine Zahnschmerzen bekannt, und diese Kenntnis kann so vollständig sein, wie es Erkenntnis vermittels Bekanntschaft überhaupt zu werden vermag, und doch weiß ich nicht alles, was der Zahnarzt (dem meine Schmerzen nun wieder nicht bekannt sind) mir über ihre Ursache sagen kann, weshalb mir also auch ihr »Wesen« unbekannt ist. Die Tatsache, daß ein Ding in irgendwelchen Beziehungen zu anderen Dingen steht, beweist nicht, daß diese Beziehungen logisch notwendig sind. D. h. aus der bloßen Tatsache, daß es ist, was es ist, können wir nicht folgern, daß es die verschiedenen Beziehungen, die es faktisch hat, auch haben muß. Das folgt nur *scheinbar*, weil wir es nämlich schon wissen.

Wir können also nicht beweisen, daß das Universum als Ganzes ein einziges harmonisches System bildet, wie es sich Hegel gedacht hat. Und wenn wir das nicht beweisen können, können wir auch nicht die Unwirklichkeit von Raum, Zeit und Materie und das Nichtsein des Bösen beweisen; denn Hegel folgert ihre Unwirklichkeit ja aus dem fragmentarischen und relationalen Charakter dieser Dinge. Wir müssen also die Welt Stück für Stück erforschen und wissen nichts über die Teile des Universums, die dem Bereich unserer Erfahrung fernliegen. Dieses Ergebnis, so enttäuschend es auch für diejenigen ist, deren Hoffnungen durch die Systeme der Philosophen hochgestimmt worden sind, steht im Einklang mit dem induktiven und wissenschaftlichen Temperament unserer Zeit und wird im übrigen durch die Überprüfung des menschlichen Wissens, die wir in den voraufgegangenen Kapiteln vorgenommen haben, bekräftigt.

Die meisten der großen und ehrgeizigen Entwürfe der Metaphysiker waren so angelegt, daß man zu demonstrieren suchte, wie erscheinende Eigenschaften der wirklichen Welt zu Widersprüchen führen und deshalb nicht eigentlich wirklich sein können. Die Tendenz des modernen Denkens dagegen läuft mehr und mehr darauf hinaus zu zeigen, daß die angenommenen Widersprüche illusorisch sind und daß man aus apriorischen Überlegungen über das, was sein *muß*, sehr, sehr wenig folgern kann. Raum und Zeit geben hier recht gute Beispiele ab. Beide sind scheinbar unendlich ausgedehnt und unendlich teilbar. Angenommen, wir bewegen uns auf einer Geraden in einer ihrer beiden Richtungen, dann können wir uns kaum vorstellen, daß wir einen letzten Punkt erreichen könnten, hinter dem es nichts mehr gibt, nicht einmal den leeren Raum. Und wenn unsere Phantasie vorwärts oder rückwärts durch die Zeit schweift, sträubt sie sich gegen den Gedanken, daß es einen ersten oder letzten Augenblick geben sollte, wo selbst die leere Zeit aufhört. So erscheinen Raum und Zeit unendlich ausgedehnt.

Wenn wir andererseits zwei Punkte auf einer Geraden nehmen, scheint es evident, daß zwischen ihnen andere Punkte der Geraden liegen müssen; wie klein man den Abstand zwischen den Punkten auch immer nehmen mag: jeder Abstand kann halbiert werden, die Hälften können ihrerseits wieder halbiert werden, und so fort ad infinitum. Ähnlich ist es mit der Zeit: wie schnell auch immer zwei Augenblicke aufeinander folgen mögen, es scheint doch evident, daß es zwischen ihnen noch andere Augenblicke gibt. Raum und Zeit scheinen also unendlich teilbar zu sein. Aber gegen diesen so überzeugenden Anschein haben die Philosophen Argumente vorgebracht, die zeigen sollen, daß es keine unendlichen Mengen von Dingen geben kann und daß deshalb die Zahl der Punkte im Raum oder der Augenblicke in der Zeit endlich sein muß. So kam es zu einem Widerspruch zwischen dem erscheinenden Charakter von Raum und Zeit und der vermeintlichen Unmöglichkeit unendlicher Mengen.

Kant, der zuerst auf diesen Widerspruch hingewiesen hat, folgerte daraus die Unmöglichkeit von Raum und Zeit und erklärte beide für bloß subjektiv, und seitdem haben sehr viele Philosophen die Ansicht vertreten, daß Raum und Zeit bloße

Erscheinungen und nicht Bestimmungen der wirklichen Welt seien. Inzwischen hat sich dank der Arbeit der Mathematiker, vor allem Georg Cantors, herausgestellt, daß es sich bei der Unmöglichkeit unendlicher Mengen um einen Denkfehler gehandelt hat. Sie sind nicht in sich widersprüchlich, sondern widersprechen nur einigen ziemlich obstinaten Denkgewohnheiten und Vorurteilen. Infolgedessen sind die Gründe, aus denen man Raum und Zeit für unwirklich hielt, unbrauchbar geworden, und eine der großen Quellen metaphysischer Produktionen ist jetzt trockengelegt.

Die Mathematiker haben sich jedoch nicht damit begnügt zu zeigen, daß der Raum so, wie man ihn sich normalerweise vorstellt, möglich ist; sie haben außerdem noch gezeigt, daß viele ganz andere Arten von Räumen ebenso möglich sind, soweit das eine Frage der Logik ist. Einige Axiome Euklids, die unserem Hausverstand notwendig erscheinen und früher von den Philosophen auch für notwendig gehalten wurden, erscheinen uns nur deshalb selbstverständlich – wie wir jetzt wissen –, weil wir mit dieser Art von Raum, dem wirklichen Raum, so vertraut sind. Es gibt keine logische Begründung für ihre anscheinende Notwendigkeit. Die Mathematiker haben sich Welten vorgestellt, in denen diese Axiome falsch sind, und haben so die Logik benutzt, um die Vorurteile des Alltagsverstandes aufzulockern und die Möglichkeit von Räumen zu zeigen, die von dem Raum, in dem wir leben, mehr oder weniger unterschieden sind. Einige dieser Räume unterscheiden sich so wenig vom euklidischen Raum – wenigstens bei Strekken, die wir nachmessen können –, daß man durch Beobachtung nicht entscheiden kann, ob unser wirklicher Raum streng euklidisch ist oder zu einer der anderen Arten gehört. Die Dinge liegen jetzt also genau umgekehrt wie früher. Früher schien es so, als ob die Erfahrung der Logik nur eine Art von Raum zur Verfügung stellte und die Logik dann bewiese, daß dieser Raum unmöglich sei. Jetzt zeigt die Logik, daß viele Arten von Räumen, unabhängig von der Erfahrung, möglich sind, und daß die Erfahrung nur begrenzt zwischen ihnen entscheiden kann. Über das, was ist, wissen wir jetzt weniger, als man früher angenommen hat, aber über das, was sein kann, wissen wir jetzt sehr viel mehr. Wir sind nicht mehr in ein enges

Gemäuer eingeschlossen, dessen Ecken und Winkel wir zu erforschen hätten; wir finden uns in einer offenen Welt freier Möglichkeiten, in der vieles unentdeckt bleibt, weil es so viel zu entdecken gibt.

Was im Fall von Raum und Zeit geschehen ist, ist in gewissem Maße auch auf anderen Gebieten eingetreten. Der Versuch, das Universum durch apriorische Prinzipien zu beschreiben, ist zusammengebrochen; die Logik ist nicht mehr wie früher eine Schranke des Möglichen; sie hat sich in den großen Befreier unserer Vorstellungskraft verwandelt, der uns unzählige Alternativen vor Augen stellt, die dem unreflektierten Alltagsverstand verschlossen sind; und sie überläßt der Erfahrung die Aufgabe, zwischen den vielen Welten, die sie uns zur Wahl stellt, zu entscheiden – soweit eine Entscheidung möglich ist. Das Wissen über Dinge, die existieren, wird so auf das beschränkt, was wir aus der Erfahrung lernen können – nicht aber auf das, was wir tatsächlich erfahren, denn wir haben gesehen, wie wir durch Beschreibung viele Dinge erkennen, die uns in unmittelbarer Erfahrung nicht gegeben sind. Allerdings brauchen wir für jede Erkenntnis durch Beschreibung eine Verknüpfung von Universalien, die uns in die Lage versetzt, von einer bestimmten Gegebenheit aus auf einen bestimmten Gegenstand als einen von dieser Gegebenheit implizierten zu schließen. Das ist z. B. bei materiellen Gegenständen der Fall, wo das Prinzip, daß Sinnesdaten Zeichen für materielle Gegenstände sind, selbst eine Verknüpfung von Universalien ist; und nur mit Hilfe dieses Prinzips können wir durch Erfahrung zur Erkenntnis materieller Gegenstände kommen. Das gleiche gilt für das Kausalitätsgesetz oder – um etwas weniger allgemein zu werden – für das Gravitationsgesetz.

Prinzipien wie das Gravitationsgesetz werden bewiesen – oder vielmehr: als sehr wahrscheinlich beglaubigt – durch eine Verbindung zwischen Erfahrung und einem rein apriorischen Prinzip, wie etwa dem Induktionsprinzip. Unsere intuitive Erkenntnis – die Quelle unserer gesamten Erkenntnis von Wahrheiten überhaupt – besteht dementsprechend aus zwei Arten: rein empirischer Erkenntnis, die uns etwas über die Existenz und einige Eigenschaften der Dinge sagt, die uns bekannt sind, und rein apriorischer Erkenntnis, die uns Verknüpfungen zwischen Universalien liefert und uns in die Lage versetzt, aus den Erfahrungstatsachen Schlüsse zu ziehen. Unsere abgeleitete Erkenntnis ist immer von gewissen rein apriorischen und meist auch von einigen rein empirischen Erkenntnissen abhängig.

Wenn das, was hier gesagt worden ist, wahr ist, unterscheidet sich philosophische Erkenntnis nicht wesentlich von wissenschaftlicher Erkenntnis; es gibt keine besondere Quelle der Weisheit, die der Philosophie zugänglich wäre und der Wissenschaft nicht, und die Ergebnisse der Philosophie sind nicht radikal von den Ergebnissen der Wissenschaft geschieden. Das wesentliche Charakteristikum der Philosophie, das sie zu einem von der Wissenschaft unterscheidbaren Gebiet macht, ist die *Kritik*. Sie untersucht kritisch die Prinzipien, von denen man in der Wissenschaft und im täglichen Leben Gebrauch macht; sie findet die Inkonsequenzen heraus, die vielleicht in diesen Prinzipien verborgen sind, und sie akzeptiert sie nur dann, wenn sich nach kritischer Untersuchung kein Grund herausgestellt hat, aus dem man sie verwerfen sollte. Wenn – wie viele Philosophen geglaubt haben – die Grundprinzipien der Wissenschaft, von allen irrelevanten Details gereinigt, uns eine Erkenntnis der Welt im ganzen geben könnten, hätte diese Erkenntnis denselben Anspruch auf unsere Zustimmung wie die wissenschaftliche Erkenntnis; aber bei unseren Untersuchungen hat sich keine solche Erkenntnis gezeigt, und sie haben insofern, was nämlich die Lehrmeinungen der kühneren Metaphysiker betrifft, zu einem im wesentlichen negativen Resultat geführt. Was aber das im allgemeinen akzeptierte Wissen betrifft, sind wir im großen und ganzen zu einem positiven Ergebnis gekommen: wir haben selten kritische Gründe gefunden, aus denen man ein solches Wissen verwerfen sollte, und wir haben keinen Grund gefunden anzunehmen, daß der Mensch nicht zu der Art von Erkenntnis imstande sei, die ihm im allgemeinen zugeschrieben wird.

Sobald wir jedoch von der Philosophie als einer Erkenntnis*kritik* sprechen, müssen wir auch eine gewisse Einschränkung vornehmen. Wenn wir die Attitüde des vollkommenen Skeptikers annehmen, einen Standpunkt außerhalb aller Erkenntnis beziehen und verlangen, von dieser Stelle aus durch einen wie immer gearteten Zwang in den Kreis der Erkenntnis zurückgeführt zu werden, dann verlangen wir etwas Unmögliches, und unser Skeptizismus kann niemals widerlegt werden. Denn jede Widerlegung muß mit einem Stück Wissen anfangen, in das sich die Streitenden teilen; auf dem kahlen Zweifel wachsen keine Gründe. Deshalb darf die Erkenntniskritik der Philosophie nicht auf diese Weise destruktiv sein, wenn sie zu Ergebnissen führen soll. Gegen den absoluten Skeptizismus gibt es kein *logisches* Argument. Aber man sieht dafür auch unschwer ein, daß eine solche Skepsis unvernünftig ist. Der »methodische Zweifel« Descartes', mit dem die moderne Philosophie angefangen hat, fällt nicht darunter, sondern gehört zu der Art von Kritik, von der wir behaupten, daß sie das Wesen der Philosophie ausmacht. Sein »methodischer Zweifel« bestand darin, an allem zweifelhaft Erscheinenden zu zweifeln, bei allem, was als Wissen auftrat, innezuhalten und sich zu fragen, ob er bei genauerem Nachdenken auch sicher sein würde, daß er dies wirklich wisse. Diese Art von Kritik macht die Philosophie aus. Manche Arten von Wissen, wie das Wissen von der Existenz unserer Sinnesdaten, erscheint ganz unbezweifelbar, wie ruhig und gründlich wir auch immer darüber nachdenken. In solchen Fällen verlangt die philosophische Kritik nicht, daß wir uns der Meinung enthalten. Es gibt aber Meinungen – wie z. B. die Meinung, daß die Dinge der Außenwelt genauso aussehen wie unsere Sinnesdaten –, die man hat, bevor man nachzudenken beginnt, die aber bei genauerer Untersuchung einfach dahinschwinden. Solche Meinungen müssen wir als Philosophen verwerfen, es sei denn, es fänden sich neue Argumente, mit denen man sie unterstützen kann. Aber Meinungen zu verwerfen, gegen die es keine Einwände gibt, wie genau man sie auch untersucht, wäre unvernünftig und nicht das, wozu die Philosophie rät.

Mit einem Wort: Die Kritik, um die es geht, ist nicht so, daß sie ohne Gründe alles verwirft, sondern so, daß sie alles, was als Wissen auftritt, nach seinen Verdiensten beurteilt und das, was auch nach genauerer Betrachtung noch als Wissen erscheint, gelten läßt. Man muß zugeben, daß dabei noch ein gewisses Risiko des Irrtums übrigbleibt, denn Menschen sind fehlbar. Die Philosophie kann mit Recht in Anspruch nehmen, daß sie die Gefahr des Irrtums vermindert und in einigen Fällen so geringfügig macht, daß man sie praktisch vernachlässigen kann. Mehr als das ist nicht möglich in einer Welt, in der Fehler gemacht werden müssen, und mehr würde auch kein vernünftiger Anwalt der Philosophie für sie in Anspruch nehmen.

15 Der Wert der Philosophie

Wir sind jetzt am Ende unserer kurzen und sehr unvollständigen Übersicht über die Probleme der Philosophie angelangt, und es wird gut sein, wenn wir uns zum Schluß überlegen, welchen Wert die Philosophie hat und weshalb man sich mit ihr beschäftigen sollte. Diese Frage stellt sich nicht zuletzt auch deshalb, weil viele Menschen unter dem Einfluß der Wissenschaft oder der Bedürfnisse des praktischen Lebens dazu neigen, in der Philosophie nicht mehr als ein harmloses, aber auch nutzloses Spiel zu sehen, das aus begrifflichen Haarspaltereien und Streitigkeiten über Dinge besteht, über die wir ohnehin nichts wissen können.

Diese Auffassung ergibt sich offenbar teils aus einer falschen Vorstellung über Sinn und Zweck des Lebens, teils aus einer falschen Vorstellung über das, was die Philosophie erreichen will. Die Naturwissenschaft ist – vermittels der mit ihrer Hilfe gemachten Erfindungen – unzähligen Menschen von Nutzen, die von ihr überhaupt keine Ahnung haben; deshalb darf man ihr Studium allemal empfehlen, nicht nur, oder nicht in erster Linie, wegen des Einflusses, den sie auf den Studenten ausübt, sondern wegen ihres Nutzens für die Menschheit überhaupt. Diese Art von Nützlichkeit ist nicht Sache der Philosophie. Wenn die Beschäftigung mit der Philosophie überhaupt einen Wert hat, und zwar auch für andere Menschen als Philosophiestudenten, dann kann dies nur indirekt zustande kommen, durch ihren Einfluß auf das Leben derer, die sich mit ihr beschäftigen. In diesem Einfluß, in diesen Auswirkungen, müssen wir also zunächst den Wert der Philosophie suchen.

Wir müssen uns außerdem – wenn wir bei diesem Versuch nicht scheitern wollen – von den Vorurteilen der fälschlich so genannten »Männer der Praxis« frei machen. Der »Praktiker« ist – einem häufigen Gebrauch des Wortes nach – jemand, der nur materielle Bedürfnisse kennt, der einsieht, daß der Mensch Nahrung für seinen Körper braucht, aber vergißt, daß auch der Geist seine Nahrung braucht. Wenn es allen

Menschen gutginge, wenn Armut und Krankheit auf das niedrigste überhaupt mögliche Maß reduziert wären, bliebe noch viel zu tun übrig, um eine Gesellschaft zu schaffen, die Wert hätte. Aber selbst in der Welt, die wir jetzt haben, sind die Güter des Geistes mindestens ebenso wichtig wie die leiblichen Güter. Der Wert der Philosophie ist ausschließlich unter den Gütern des Geistes zu finden; und nur Menschen, denen diese Güter nicht gleichgültig sind, können davon überzeugt werden, daß die Beschäftigung mit der Philosophie keine Zeitverschwendung ist.

Das Ziel der Philosophie – wie das aller anderen eigentlich geistigen Tätigkeiten, des »Studiums« im ursprünglichen Sinne des Worts – ist Erkenntnis. Die Erkenntnis, um die es ihr geht, ist die Art von Erkenntnis, die Einheit und System in die angesammelten Wissenschaften bringt, und die Art, die sich aus einer kritischen Überprüfung der Gründe für unsere Überzeugungen, Vorurteile und Meinungen ergibt. Man kann allerdings nicht behaupten, daß die Philosophie bei dem Versuch, definitive Antworten auf ihre Fragen zu finden, sehr erfolgreich gewesen wäre. Wenn man einen Mathematiker, einen Mineralogen oder einen anderen Gelehrten fragt, zu welchem Bestand an Wahrheiten es seine Wissenschaft gebracht habe, wird seine Antwort mit Leichtigkeit so lange dauern, wie wir ihm zuhören wollen. Aber wenn man die selbe Frage einem Philosophen stellt, wird er – wenn er offen und ehrlich ist – zugeben müssen, daß man hier zu keinen positiven Resultaten, die mit denen anderer Wissenschaften vergleichbar wären, gekommen ist. Zum Teil erklärt sich das aus dem Umstand, daß man einen Gegenstand nicht mehr zur Philosophie zählt, sobald definitive Erkenntnisse über ihn möglich werden; es bildet sich dann in der Regel eine neue und selbständige wissenschaftliche Disziplin. Das ganze Studium der Himmelserscheinungen, das jetzt zur Astronomie gehört, war einmal Teil der Philosophie; Newtons großes Werk hieß *Die mathematischen Prinzipien der Naturphilosophie.* Die Erforschung der menschlichen Seele, die zur Philosophie gehörte, hat sich jetzt von ihr gelöst und ist zur wissenschaftlichen Psychologie geworden. So sind die Ungewißheiten der Philosophie weitgehend doch mehr eine Sache des Anscheins als real: die Fragen, die man eindeutig beantworten kann, werden den Wissenschaften zugeordnet, und nur diejenigen, auf die man im Augenblick noch keine eindeutige Antwort finden kann, bleiben übrig als ein Rest, den man als Philosophie bezeichnet.

Nun ist dies allerdings wohl nur die halbe Wahrheit über die Ungewißheiten der Philosophie. Es gibt viele Fragen – und unter ihnen solche, die für unser geistiges Leben von profundestem Interesse sind – die, soweit wir sehen können, für den menschlichen Intellekt unlösbar bleiben müssen, wenn seine Fähigkeiten sich nicht zu einer Größenordnung entwickeln, die uns bis jetzt unbekannt geblieben ist. Hat die Welt einen einheitlichen Plan oder Zweck, oder besteht sie aus einem zufälligen Zusammenspiel der Atome? Ist das Bewußtsein ein beständiger Teil der Welt, so daß wir noch auf ein unbeschränktes Wachstum an Weisheit hoffen dürfen, oder ist das Bewußtsein ein transitorisches Phänomen auf einem kleinen Planeten, auf dem das Leben nach einiger Zeit unmöglich werden wird? Haben Gut und Böse eine Bedeutung für die ganze Welt oder nur für die Menschen? – Das sind Fragen, die die Philosophie stellt, und die von verschiedenen Philosophen verschieden beantwortet worden sind. Ob man die Antworten nun noch auf andere Weise entdecken kann oder nicht, es scheint jedenfalls so, als ob die Antworten der Philosophie samt und sonders nicht als wahr ausweisbar sind. Und doch, so gering die Hoffnung, Antworten zu finden, auch sein mag: es bleibt Sache der Philosophie, weiter an diesen Fragen zu arbeiten, uns ihre Bedeutung bewußt zu machen, alle möglichen Zugänge zu erproben und jenes spekulative Interesse an der Welt wachzuhalten, das wahrscheinlich abgetötet würde, wenn wir uns ausschließlich auf abgesicherte Erkenntnisse beschränkten.

Man muß zugeben: Viele Philosophen haben gemeint, daß die Philosophie die Wahrheit bestimmter Antworten auf solche fundamentalen Fragen feststellen könne. Sie haben z. B. angenommen, daß die wichtigsten religiösen Glaubenssätze strikt beweisbar seien. Um solche Versuche beurteilen zu können, muß man sich eine Übersicht über das menschliche Wissen verschaffen und sich eine Meinung über die uns zur

Verfügung stehenden Methoden und die Grenzen unseres Wissens bilden. Es wäre nicht klug, hierüber dogmatische Aussagen zu machen; aber wenn uns die Untersuchungen der voraufgegangenen Kapitel nicht in die Irre geführt haben, werden wir die Hoffnung aufgeben müssen, philosophische Beweise für religiöse Lehrmeinungen zu finden. Wir können deshalb irgendwelche Antworten auf diese Fragen nicht als etwas akzeptieren, das auch nur zum Teil den Wert der Philosophie ausmacht. Noch einmal: Der Wert der Philosophie darf nicht von irgendeinem festumrissenen Wissensstand abhängen, den man durch Studium erwerben könnte.

Der Wert der Philosophie besteht im Gegenteil gerade wesentlich in der Ungewißheit, die sie mit sich bringt. Wer niemals eine philosophische Anwandlung gehabt hat, der geht durchs Leben und ist wie in ein Gefängnis eingeschlossen: von den Vorurteilen des gesunden Menschenverstands, von den habituellen Meinungen seines Zeitalters oder seiner Nation und von den Ansichten, die ohne die Mitarbeit oder die Zustimmung der überlegenden Vernunft in ihm gewachsen sind. So ein Mensch neigt dazu, die Welt bestimmt, endlich, selbstverständlich zu finden; die vertrauten Gegenstände stellen keine Fragen, und die ihm unvertrauten Möglichkeiten weist er verachtungsvoll von der Hand. Sobald wir aber anfangen zu philosophieren – das haben wir ja in den ersten Kapiteln dieses Buches gesehen – führen selbst die alltäglichsten Dinge zu Fragen, die man nur sehr unvollständig beantworten kann. Die Philosophie kann uns zwar nicht mit Sicherheit sagen, wie die richtigen Antworten auf die gestellten Fragen heißen, aber sie kann uns viele Möglichkeiten zu bedenken geben, die unser Blickfeld erweitern und uns von der Tyrannei des Gewohnten befreien. Sie vermindert unsere Gewißheiten darüber, was die Dinge sind, aber sie vermehrt unser Wissen darüber, was die Dinge sein könnten. Sie schlägt die etwas arrogante Gewißheit jener nieder, die sich niemals im Bereich des befreienden Zweifels aufgehalten haben, und sie hält unsere Fähigkeit zu erstaunen wach, indem sie uns vertraute Dinge von uns nicht vertrauten Seiten zeigt.

Ganz abgesehen von dem Nutzen, den solches Aufdecken unvermuteter Möglichkeiten bringt, gewinnt die Philosophie ihren Wert – und vielleicht ihren vornehmsten Wert – durch die Größe der Gegenstände, die sie bedenkt, und durch die Befreiung von engen und persönlichen Zwecken, die sich aus dieser Betrachtung ergibt. Wer sich gleichsam von seinen Instinkten treiben läßt, bleibt in dem engen Kreis seiner privaten Interessen eingeschlossen: Familie und Freunde mögen mit zu diesem Kreis gehören, aber die Außenwelt ist nur das, was die Vorgänge im Kreis der instinktiven Wünsche fördert oder stört. Diese Lebensform mutet irgendwie fiebrig und eingezwängt an, und das philosophische Leben ist im Vergleich dazu ruhig und frei. Die private Welt unserer triebhaften Interessen ist klein; sie verliert sich im Innern einer großen und machtvollen Außenwelt, die früher oder später unsere private Welt in Trümmer legen wird. Wenn wir es nicht fertigbringen, unsere Interessen zu erweitern, bis sie die ganze Außenwelt umfassen, sind wir in der gleichen Lage wie die Garnison einer belagerten Festung: wir wissen, daß der Feind uns nicht entkommen lassen wird und daß die Kapitulation letzten Endes unvermeidlich ist. Wenn wir so leben, wird es keinen Frieden sondern nur einen endlosen Streit zwischen dem Drängen unserer Begierden und der Machtlosigkeit unseres Willens geben. Und wenn unser Leben groß und frei sein soll, müssen wir diesem Streit und unserer Gefangenschaft in ihm entkommen.

Ein Ausweg ist die philosophische Kontemplation. Ihr Weitblick teilt die Welt nicht in zwei Lager ein, in Freunde und Feinde, Nützliches und Schädliches, Gutes und Schlechtes: er ist ein unparteiischer Blick auf das Ganze. Wenn die philosophische Kontemplation nicht durch fremde Zusätze verdorben wird, will sie nicht beweisen, daß die ganze Welt dem Menschen verwandt ist. Jeder Gewinn an Wissen ist auch eine Erweiterung unseres Selbst, aber eine solche Erweiterung gelingt am besten, wenn man sie nicht unmittelbar sucht. Sie gelingt, wenn der Wunsch zu wissen frei wirksam ist, durch Betrachtungen, die nicht von vornherein in ihren Gegenständen diese oder jene Eigenschaften suchen, sondern die das Selbst den Eigenschaften anmessen, die sich an den Gegenständen finden. Unser Selbst wird nicht erweitert, wenn wir uns nehmen, wie wir sind, und zu beweisen suchen, daß diese Welt uns ähnlich genug sei, um sie ganz ohne Rücksicht auf irgend etwas uns Fremdes erkennen zu können. Die Sucht, so etwas beweisen zu wollen, ist eine Form des Selbstbehauptungswillens, und der Selbstbehauptungswille ist immer ein Hindernis für die Erweiterung unseres Selbst, die wir wünschen und von der wir wissen, daß sie erreichbar ist. Wenn der Selbstbehauptungswille in die philosophische Spekulation eindringt, betrachtet er dort wie anderswo die Welt als Mittel zu seinen Zwecken; er macht sie damit zu etwas, das geringer sein soll als er selbst, das heißt: er legt unsere Würde in Ketten. In der Kontemplation dagegen gehen wir vom Anderen aus, und durch seine Größe werden wir selber zu etwas Größerem gemacht. Der betrachtende Geist gewinnt einen Anteil an der Unendlichkeit der von ihm betrachteten Welt.

Deshalb sind solche Philosophien, die die Welt dem Menschen angleichen, der Seelengröße nicht eben förderlich. Die Erkenntnis ist eine Vereinigung des Selbst und des Anderen; und wie alle Vereinigungen leidet sie unter Herrschsucht, also auch unter dem Versuch, die Welt zur Konformität mit dem zu zwingen, was wir in uns selber finden. Es gibt eine weitverbreitete philosophische Neigung zu der Ansicht, daß der Mensch das Maß aller Dinge sei, daß die Wahrheit von Menschen gemacht, daß Raum, Zeit und die Welt der Universalien eigentlich Besitztümer des menschlichen Geistes seien und daß, wenn es etwas gebe, das nicht vom menschlichen Geist erschaffen sei, es für uns unerkennbar und belanglos sein müsse. Wenn unsere Überlegungen richtig waren, ist diese Ansicht falsch. Darüber hinaus aber beraubt sie die philosophische Kontemplation auch all dessen, was ihren Wert ausmacht, indem sie die Kontemplation an das Selbst fesselt. Was so Erkenntnis genannt wird, ist nicht eine Vereinigung mit dem Anderen, sondern eine Ansammlung von Vorurteilen, Gewohnheiten und Begierden, die zwischen uns und die Außenwelt einen undurchdringlichen Schleier legt. Wer an einer solchen Erkenntnistheorie Gefallen findet, ist wie jemand, der nie sein eigenes Haus verläßt, aus Furcht, sein Wort könnte draußen nicht mehr Gesetz sein.

Die wahre philosophische Kontemplation dagegen findet Genugtuung in jeder Vergrößerung des Nicht-Selbst, des Anderen, in allem, was die betrachteten Gegenstände und erst dadurch das betrachtende Subjekt vergrößert. Was bei der Kontemplation noch persönlich oder privat ist, alles, was von Gewohnheiten, eigenen Interessen oder Wünschen abhängt, verzerrt den Gegenstand und stört die Einheit, nach der der Intellekt strebt. Indem sie so eine Barriere zwischen dem Subjekt und dem Objekt aufrichten, werden diese persönlichen und privaten Dinge zu einem Gefängnis des Geistes. Der freie Intellekt will die Dinge sehen, wie Gott sie sehen würde, frei vom Hier und Jetzt, von Hoffnungen und Ängsten, ohne den Plunder gewohnter Meinungen und traditioneller Vorurteile, ruhig, leidenschaftslos, nur von dem einen und alle anderen ausschließenden Wunsch nach Erkenntnis beseelt, nach einer Erkenntnis, die so unpersönlich, so rein kontemplativ ist, wie das für Menschen möglich ist. Deshalb wird der freie Intellekt auch die abstrakte und allgemeine Erkenntnis, die von den Zufällen der persönlichen Geschichte unberührt bleibt, höher schätzen als die Erkenntnis durch die Sinne, die notwendigerweise von einem ganz persönlichen Gesichtspunkt und einem Körper abhängt, dessen Sinnesorgane entstellen, was sie uns enthüllen.

Der Geist, der sich an die Freiheit und Unparteilichkeit der philosophischen Kontemplation gewöhnt hat, wird sich auch in der Welt des Fühlens und Handelns etwas von dieser Freiheit und Unparteilichkeit erhalten. Er wird seine Ziele und Wünsche als Teile des Ganzen betrachten, und ihre Dringlichkeit wird sich vermindern, weil er sie als unendlich kleine Bruchteile einer Welt sieht, die im Ganzen von den Taten eines einzelnen Menschen unbeeinflußt bleibt. Die Unparteilichkeit, die in der Kontemplation das unvermischte Verlangen nach Wahrheit ist, ist dieselbe Qualität des Geistes, die sich im Handeln als Gerechtigkeit ausdrückt, und im Fühlen als jene umfassende Liebe, die allen gelten kann und nicht nur jenen, die man für nützlich oder für bewunderungswürdig hält. So vergrößert die Kontemplation nicht nur die Gegenstände unseres Denkens, sondern auch die unseres Handelns und unserer Neigungen: sie macht uns zu Bürgern der Welt und nicht nur zu Bewohnern einer ummauerten Stadt, die mit der Welt vor ihren Toren im Kriege liegt. In dieser Weltbür-

gerschaft besteht die wahre Freiheit des Menschen, seine Befreiung aus der Knechtschaft kleinlicher Hoffnungen und Ängste.
Fassen wir unsere Betrachtungen über den Wert der Philosophie zusammen: man soll sich mit der Philosophie nicht so sehr wegen irgendwelcher bestimmter Antworten auf ihre Fragen beschäftigen – denn in der Regel kann man diese bestimmten Antworten nicht als wahr erkennen. Man soll sich um der Fragen selber willen mit ihr beschäftigen, weil sie unsere Vorstellung von dem, was möglich ist, verbessern, unsere intellektuelle Phantasie* bereichern und die dogmatische Sicherheit vermindern, die den Geist gegen alle Spekulation verschließt. Vor allem aber werden wir durch die Größe der Welt, die die Philosophie betrachtet, selber zu etwas Größerem gemacht und zu jener Einheit mit der Welt fähig, die das größte Gut ist, das man in ihr finden kann.

* Es ist eine interessante Frage, warum dieser Ausdruck im Deutschen nicht gebräuchlich ist. *(Anm. d. Üb.)*

Nachwort von Eberhard Bubser

Russell hat dieses Buch 1912 für die *Home University Library* geschrieben, eine Reihe, die sich rühmen darf, mehrere populäre Klassiker herausgebracht zu haben – wie z. B. die *Introduction to Mathematics* von Alfred North Whitehead, dem Mitautor der *Principia Mathematica.* In einer philosophischen Autobiographie* sagt Russell dazu: »Kurz nachdem wir die Niederschrift der ›Principia Mathematica‹ beendet hatten ... lud mich Gilbert Murray ein, ein kleines Buch für die Home University Library zu schreiben, das in populärer Form eine kurze Darstellung meiner Philosophie geben sollte. Diese Einladung kam im günstigsten Augenblick. Ich war froh, daß ich den Strapazen des formellen deduktiven Raisonnierens endlich einmal entkommen konnte, und meine Meinungen waren damals so festumrissen und bestimmt, wie sie es weder früher noch später je wieder gewesen sind. Das machte es mir leicht, sie einfach darzustellen. Das Buch wurde ein großer Erfolg ... Ich glaube, daß die meisten Philosophen es immer noch für eine adäquate Darstellung meiner Auffassungen halten ...«

Man sieht, daß Russell offenbar nicht viel Respekt vor den Kollegen hat. Philosophische Schriften, selbst populäre wie diese, sind nichts, was man besitzt und schwarz auf weiß nach Hause trägt. Es handelt sich nicht um Auffassungen, die dargestellt werden, die man zur Kenntnis nimmt oder sogar glaubt. Es handelt sich um Behauptungen, die manchmal merkwürdig sind, um Argumente, die man prüfen muß, um Gedanken, mit denen man sich nicht vertraut machen kann, ohne daß sie einem zwischendurch immer wieder befremdlich werden. Es ist wahr, daß das nicht immer so ist und daß es gerade in Deutschland eine Tradition gibt, die von einem Philosophen anderes erwartet: Dikta, Worte, die man aufnimmt, die man bei sich behält, mit denen man sich einrichtet und bei denen man bleibt. Russell ist das genaue Gegenteil eines Philosophen, der als verkappter Weiser auftritt. Er folgt dem Argument »wohin es uns führt«, wie es ja schon bei Platon heißt, und er ist dabei immer bereit, eine Position zu räumen, weil

* Bertrand Russell, *My Philosophical Development,* London 1959; S. 102 bis 103.

er sich stark genug fühlt, entweder eine bessere zu erobern oder die alte mit besseren Gründen wieder einzunehmen.

Wenn also die *Probleme der Philosophie* auch keine definitive Darstellung der Russelschen Auffassungen sind, so geben sie doch in der Tat eine besonders klare und einfache Übersicht über die Themen, die ihn immer wieder beschäftigt haben. Es sind teils prinzipielle, teils historische Gründe, aus denen der Leser nach der Lektüre mehr Fragen haben wird als vorher. Was die ersten betrifft, muß er sich selber helfen, so gut er kann. Bei den zweiten hat er das Recht auf einige Hinweise.

Zu populären Darstellungen kommt es immer erst dann, wenn der Fachmann nicht mehr ganz sicher ist, wie er sich dem Laien verständlich machen soll. (Diese Sprachschranke ist durchaus nicht so selbstverständlich, wie man heute allgemein annimmt, sondern auch etwas, über das man nachdenken kann.) Eine der Versuchungen, denen man bei der Aufgabe, einfach zu sprechen, ausgesetzt ist, ist die Konventionalität, und es ist nicht ohne Reiz zu sehen, wie gerade Russell, der legendäre Nonkonformist, ihr erliegt: wenn er im ersten Satz fragt, ob es eine Erkenntnis gibt, die so gewiß ist, daß überhaupt kein vernünftiger Mensch an ihr zweifeln kann, dann könnte ein ungewarnter Leser vermuten, Philosophen seien Leute, die habituell zur Übertreibung neigten und sich die Folgen selber zuzuschreiben hätten. In der Tat ist dies nur eine »letzte« oder »fundamentale« Frage, weil sie in dieser Form abgeschliffen und verwaschen ist, weil es einer Konvention entspricht, sie an den Anfang der Philosophie zu stellen. Für Descartes selbst, den Begründer der Tradition, war sie nichts weiter als natürlich: in einer Zeit der zerfallenden Autoritäten, der Glaubenskriege und der Ablösung gewohnter Begriffssysteme durch die Entdeckungen der Wissenschaftler lag nichts näher als zu denken »de omnibus dubitandum«, daß unsere Meinungen zweifelhaft seien und daß es einer radikalen Anstrengung bedürfe, um wieder festen Boden unter die Füße zu bekommen. Wir müssen hier einen Sprung über eine Hürde tun, und noch einen zweiten, bevor Russell sich wirklich freigesprochen hat.

Denn es ist natürlich nicht natürlich, bei der Suche nach Gewißheit mit den Erlebnissen, die wir jetzt, in diesem Augenblick haben, anzufangen, weil unser Bewußtsein schließlich weder ein unbeschriebenes Blatt noch wie die gepanzerte Minerva vollgerüstet dem Haupt des Jupiter entstiegen ist. Um 1910 pflegten Philosophen am Schreibtisch sitzend und um sich blickend aufzutreten: man vergleiche, was Husserl in seinen *Ideen zu einer reinen Phänomenologie und phänomenologischen Philosophie* (1913) über die Welt des natürlichen Standpunkts sagt. Russell sieht andere Dinge als Husserl, nämlich »Sinnesdaten«, Verwandte der traditionellen empiristischen »ideas«, und dafür gibt es zwei Gründe: wir finden in den »Sinnesdaten« eine erste Gewißheit, weil durch diesen Begriff die Unzuverlässigkeit unserer Wahrnehmungen gegen sich selber gekehrt wird. Was uns erscheint, kann uns über die wirkliche Beschaffenheit der Dinge täuschen, aber *daß* es uns so erscheint, können wir mit Sicherheit konstatieren (solange wir nicht darüber reden und dann womöglich etwas Falsches sagen). Und zweitens ist es natürlich, in dem, was uns jetzt erscheint, nach Erkenntnis zu suchen, *wenn* wir die These widerlegen wollen, daß es gerade hier, in den Einzeldingen, in allem, was erscheint, auf gar keinen Fall Wahrheit und Erkenntnis geben könne. Und genau das war die These der Hegelianer F. H. Bradley (1846–1924) und J. McTaggart (1866–1925), deren Philosophie Russell im 14. Kapitel über die Grenzen der philosophischen Erkenntnis beschreibt. Im Gegensatz zu allen kontinentaleuropäischen Formen des Hegelianismus war das Ganze, das das Wahre sein mußte, bei ihnen unhistorisch, ein zeitloses Absolutes, das dem Sein des Parmenides verwandter war als dem Weltgeist Hegels. Russell und sein Freund George Edward Moore (1873–1958) waren in ihren ersten Cambridger Jahren selber Schüler McTaggarts und Idealisten. 1897, drei Jahre vor dem internationalen Philosophenkongreß in Paris, der für Russell zu einem geistigen Wendepunkt wurde (er veröffentlichte die *Principles of Mathematics* 1903 und arbeitete das ganze folgende Jahrzehnt mit Whitehead an den *Principia Mathematica*, der klassischen logischen Grundlegung der Mathematik), schrieb er einen *Essay on the Foundations of Geometry*, der dem hegelianischen Konzept folgte. Aber bald, so hat es Russell beschrieben *, »ergriff Moore die Führung unse-

* Vgl. P. A. Schilpp (ed.), *The Philosophy of Bertrand Russell*, 3d. ed. 1953, p. 8 ff.

rer Rebellion, und ich folgte ihm erleichtert. Bradley behauptete, daß alles, was der gesunde Menschenverstand glaubt, bloße Erscheinung sei. Wir fielen ins andere Extrem und glaubten, daß *alles* wirklich sei, was der von Philosophie und Theologie unbeeinflußte gesunde Menschenverstand für wirklich hält. Mit dem Gefühl, aus einem Gefängnis ausgebrochen zu sein, gestatteten wir uns zu denken, daß Gras grün ist, daß die Sonne und die Sterne auch existieren würden, wenn niemand sie sähe, und daß es außerdem auch eine pluralistische, zeitlose Welt der Ideen gäbe. Die Welt, die dünn und logisch gewesen war, wurde auf einmal reich, vielfältig und körperhaft«.

Das Inventar dieser aus der *Widerlegung des Idealismus* (der Titel eines klassischen, 1903 erschienenen Aufsatzes von Moore) hervorgegangenen Welt treffen wir auch in den *Problemen der Philosophie* im wesentlichen noch an. Aber es zeigen sich auch schon bedeutungsvolle Unterschiede. Moore blieb ein Philosoph des Common Sense (und wurde damit neben dem späteren Wittgenstein zum Vorbild einer Schule, die das Auftauchen philosophischer Probleme als Symptom einer pathologischen Mißartung des normalen, richtigen, alltäglichen Sprachgebrauchs behandelt). Russell blieb gegenüber unseren »instinktiven Überzeugungen« weitaus vorsichtiger. Für ihn existierten die Dinge der Außenwelt nicht, weil wir das einfach wissen, sondern weil »diese Meinung keine Schwierigkeiten mit sich bringt, sondern im Gegenteil dazu beiträgt, die Darstellung unserer Erlebnisse zu vereinfachen und zu systematisieren . . .«

Die Art, wie er das Verhältnis der uns unmittelbar bekannten Sinnesdaten zu den nur durch Beschreibung gegebenen materiellen Dingen diskutiert, läßt schon in Umrissen ahnen, wie er die Dinge verschwinden lassen wird, wenn er eine passende logische Konstruktion gefunden hat, wie er dann auf die Veränderungen der Physik reagieren muß, auf die Relativitätstheorie und die Quantenmechanik – denn die materiellen Dinge der *Probleme* sind ja noch die Körper der klassischen Mechanik – usf. Die Welt Russells wurde nach den *Problemen* wieder »dünner und logischer«, die Materie, das Subjekt, der Pluralismus der Prinzipien und Universalien sollten durch »Ockhams Rasiermesser« (den Grundsatz des Scholastikers: Principia praeter necessitatem non sunt multiplicanda) herausgejätet werden. Das Prinzip lautet in Russels Formulierung: »Wo immer möglich, sollen bloß erschlossene Dinge durch logische Konstruktionen ersetzt werden«: d. h. die Probleme, die mit der Existenz solcher uns unbekannter Dinge zusammenhängen, sollen analog dem Verfahren seiner »Theorie der Beschreibungen« gelöst werden.

Seine Theorie der Beschreibungen (nach Moore Russells größte philosophische Leistung und jedenfalls für lange Zeit *das* Paradigma logischer Analyse) entwickelte sich aus der Frage nach der Bedeutung solcher Sätze wie »Der gegenwärtige König von Frankreich hat eine Glatze« oder »Der quadratische Kreis existiert nicht«. Alexius Meinong (*Über Gegenstandstheorie*, 1904, S. 9) hat für die Subjekte dieser Aussagen den denkwürdigen Ausspruch gefunden: »Es gibt Gegenstände, von denen gilt, daß es dergleichen Gegenstände nicht gibt«, der auch wahr wäre, wenn der gegenwärtige König von Frankreich und der quadratische Kreis irgendwie Gegenstände wären. Sie sind es nicht. Russell hat gezeigt, daß es äquivalente Sätze gibt, in denen diese schimärischen Gegenstände verschwinden, z. B. »Es gibt etwas, das jetzt König von Frankreich ist und eine Glatze hat, und alles, was jetzt König von Frankreich ist, ist mit diesem ersten Etwas identisch.« Dieser Satz ist einfach falsch, und wir brauchen uns als Logiker nicht mehr den Kopf darüber zu zerbrechen, wer der König der französischen Republik sein könnte.

Erst an diesem Punkt und mit diesem Programm wurde Russell zum Alliierten des »logischen Positivismus« bzw. »logischen Empirismus«: zum Alliierten, nicht zum Vertreter. Die Philosophie des Wiener Kreises wurde erst von Ayer* in England eingeführt, und in Wien hatten sich die Probleme ganz anders gestellt als in England**. Selbst mit seinem zeitweiligen Schüler Wittgenstein verband ihn in der Periode des *Tractatus* nur der eigenwillige Entwurf eines »logischen Atomismus« und die These, daß sich alle echten philosophi-

* Alfred J. Ayer, *Language, Truth, and Logic*, London 1936.

** Vgl. dazu Günther Patzig, Nachwort und Bibliographie zu *Rudolf Carnap, Scheinprobleme der Philosophie*, Theorie 1, Frankfurt 1966; und Gilbert Ryle, *Ludwig Wittgenstein, Analysis*, Vol. XII, 1951.

schen Probleme auf logische Probleme reduzieren lassen*. Später, nach den *Philosophischen Untersuchungen*, war er ihm herzlich abgeneigt. Und Russell hat sich nie auf dieses Programm festgelegt; bis hin zu *Human Knowledge, its Scope and Limits* (1948) ist er zwar seinen logischen Neigungen gefolgt, soweit er konnte, blieb dabei aber immer offen gegenüber den Erfordernissen der Physik und hat selbst den Geruch des Psychologismus nicht gescheut. (Z. B. tauchen die »instinktiven Überzeugungen« der *Probleme* auch später noch als »animal expectations«, etwa: die in unseren Organismus eingebauten Erwartungen, auf.) Sein Resultat ist im großen und ganzen geblieben, daß eine rein empiristische Erkenntnistheorie nicht haltbar ist, und daß die Dinge in der Tat sich nicht so »festumrissen und bestimmt« darstellen, wie er das im eingangs angeführten Zitat über die *Probleme* gesagt hat.

Verglichen mit den kontinentalen Neopositivisten und vielen Vertretern anderer Spielarten der analytischen Philosophie hat Russell den Habitus eines klassischen Philosophen (als Philosoph; denn außerdem war er ja fast sein ganzes Leben lang enfant terrible, erzürnter Bürger und manchmal auch ein »true believer«). Es fehlt ihm der etwas schrille Szientismus, den wir inzwischen gewohnt sind. Man sollte das Kapitel über den Wert der Philosophie sehr aufmerksam lesen. Das Pathos mag ein wenig merkwürdig berühren: wer würde heute schon den Gedanken fassen, daß Philosophie »der Seelengröße förderlich« sein könnte, wer würde sich das Wort »Seelengröße« über die Lippen kommen lassen? Und doch ist das nobel gesagt; hier hat Russell sich die reine Leidenschaft Spinozas erhalten, der auch fand, daß es nicht menschenwürdig ist, wenn man bloß »in suo esse perseverare conatur«, wenn man an nichts denkt als wie man sich selbst behaupten kann, und daß es frei macht, wenn man die Dinge »sub quadam aeternitatis specie« betrachtet. Dieses Sentiment gehört zum Besten, was die Wissenschaft von der Philosophie geerbt hat, und man ist gerade sehr tätig, ihr das auszutreiben.

* Vgl. dazu das zweite Kapitel von *Our Knowledge of the External World*, London 1914.

Literaturhinweise

Mit den folgenden Titeln ist nur eine beschränkte Auswahl aus den philosophischen Schriften Bertrand Russels getroffen worden. Die Jahreszahlen geben das Datum der englischen Erstveröffentlichung an; Neuauflagen bzw. Neudrucke liegen in der Regel vor. Neuere deutsche Übersetzungen sind angegeben.

1. *Philosophical Essays*, London 1910. Neuausgabe 1917 unter dem Titel *Mysticism and Logic, and other Essays*. Dt.: *Mystik und Logik. Philosophische Essays*, Wien und Stuttgart 1952.
2. *Our Knowledge of the External World*, London 1914. Neuausgabe 1926.
3. *Introduction to Mathematical Philosophy*, London 1919. Dt.: *Einführung in die mathematische Philosophie*, Darmstadt und Genf 1953.
4. *Analysis of Mind*, London 1921.
5. *Analysis of Matter*, London 1927. Neuausgabe 1954, 3. Aufl. 1965.
6. *An Outline of Philosophy*, London 1927.
7. *An Inquiry into Meaning and Truth*, London 1940.
8. *History of Western Philosophy and its Connections with Social and Political Circumstances from the Earliest Times to the Present Day*, London 1946 (Neuaufl. 1961). Dt.: *Philosophie des Abendlandes. Ihr Zusammenhang mit der politischen und sozialen Entwicklung*, Frankfurt 1950.
9. *Human Knowledge. Its Scope and Limits*, London 1948. Dt.: *Das menschliche Wissen*, Darmstadt 1952.
10. *Logic and Knowledge, Essays 1901–1950* (Hrsg. R. C. Marsh), London 1956.
11. *My Philosophical Development*, London 1959.
12. *Wisdom of the West* (Hrsg. P. Foulkes), London 1959. Dt.: *Denker des Abendlandes*, Stuttgart 1962.

Für eine ausführliche Bibliographie und Diskussion der Russellschen Philosophie s. Bd. 5 der *Library of Living Philosophers* (Hrsg. P. A. Schilpp): *The Philosophy of Bertrand Russell*, Evanston, Illinois, seit 1944 (3. Aufl. 1953).

Schriften zur Philosophie und Soziologie in der edition suhrkamp

Wolfgang Abendroth
Sozialgeschichte der europäischen Arbeiterbewegung

Theodor W. Adorno
Drei Studien zu Hegel

Paul A. Baran
Unterdrückung und Fortschritt. Essays

Walter Benjamin
Zur Kritik der Gewalt

Hans Blumenberg
Die kopernikanische Wende

Helmut Böhme
Prolegomena zu einer Sozial- und Wirtschaftsgeschichte Deutschlands im 19. und 20. Jahrhundert

Ernst Bloch
Widerstand und Friede. Aufsätze zur Politik

Maurice Dobb
Organisierter Kapitalismus. Fünf Beiträge zur politischen Ökonomie

Theodor Eschenburg
Über Autorität

Existentialismus und Marxismus. Eine Kontroverse zwischen Sartre, Garaudy, Hyppolite, Vigier und Orcel

Folgen einer Theorie. Essays über ›Das Kapital‹ von Karl Marx. Mit Beiträgen von E. Th. Mohl, W. Hofmann, J. Robinson, E. Mandel, K. Kosík, A. Schmidt, H. Lefèbvre, R. Banfi und M. Marković

Peter Gäng / Reimut Reiche
Modelle der kolonialen Revolution. Beschreibung und Dokumente

Werner Hofmann
Stalinismus und Antikommunismus. Zur Soziologie des Ost-West-Konflikts

Werner Hofmann
Universität, Ideologie, Gesellschaft. Beiträge zur Wissenschaftssoziologie

Jürgen Horlemann
Modelle der kolonialen Konterrevolution. Beschreibung und Dokumente

Jürgen Horlemann / Peter Gäng
Vietnam. Genesis eines Konflikts

Institutionen in primitiven Gesellschaften. Vorträge von R. Firth, E. E. Evans-Pritchard, E. R. Leach, J. G. Peristiany, J. Layard, M. Gluckman, M. Fortes und G. Lienhardt

Otto Kirchheimer
Politische Herrschaft. Fünf Beiträge zur Lehre vom Staat

Gabriel Kolko
Besitz und Macht. Sozialstruktur und Einkommensverteilung in den USA

Kritik der reinen Toleranz
Beiträge von Robert Paul Wolff, Barrington Moore und Herbert Marcuse

Stephan Leibfried
Die angepaßte Universität. Zur Situation der Hochschulen in der Bundesrepublik und den USA

Henri Lefèbvre
Der dialektische Materialismus

Henri Lefèbvre
Probleme des Marxismus heute

Herbert Marcuse
Kultur und Gesellschaft Band 1 und 2

Maurice Merleau-Ponty
Humanismus und Terror Band 1 und 2

Barrington Moore
Zur Geschichte der politischen Gewalt. Drei Studien

Moral und Gesellschaft
Beiträge von K. Kosík, J. P. Sartre, C. Luporini, R. Garaudy, Galvano della Volpe, M. Marković und A. Schaff

Die Münchner Räterepublik
Zeugnisse und Kommentar. Herausgegeben von Tankred Dorst

Trutz Rendtorff / Heinz Eduard Tödt
Theologie der Revolution. Analysen und Materialien

Über Formalismus
Beiträge von Elder Olson, Kenneth Burke, Eliseo Vivas und John Crowe Ransom

Alfred Schmidt (Hrsg.)
Beiträge zur Erkenntnistheorie

Stuart R. Schram
Die permanente Revolution in China

Ludwig Wittgenstein
Tractatus logico-philosophicus. Logisch-philosophische Abhandlung

Otto Vossler
Die Revolution von 1848 in Deutschland

Predrag Vranicki
Mensch und Geschichte

edition suhrkamp

327 Jens Kruuse, Oradour
328 Josef Jedlička, Unterwegs
329 Herbert Marcuse, Versuch über die Befreiung
330 Roman Jakobson, Kindersprache, Aphasie und allgemeine Lautgesetze
331 Ror Wolf, Danke schön. Nichts zu danken. Geschichten
332 Bertolt Brecht, Die Geschäfte des Herrn Julius Cäsar. Romanfragment
333 Herbert Malecki, Spielräume. Aufsätze zur ästhetischen Aktion
334 Miroslav Válek, Gedichte
335 Albrecht Wellmer, Kritische Gesellschaftstheorie und Positivismus
336 Manfred Liebel / Franz Wellendorf, Schülerselbstbefreiung. Voraussetzungen und Chancen der Schülerrebellion
337 Frantz Fanon, Aspekte der Algerischen Revolution
338 Alexander Skinas, Fälle. Prosa
339 Bertolt Brecht, Der Brotladen. Ein Stückfragment. Die Bühnenfassung und Texte aus dem Fragment
340 Hans Rosenberg, Probleme der deutschen Sozialgeschichte
341 Carl Oglesby / Richard Shaull, Amerikanische Ideologie. Zwei Studien über Politik und Gesellschaft in den USA
342 Hans Mayer, Das Geschehen und das Schweigen. Aspekte der Literatur
343 Heribert Adam, Südafrika. Soziologie einer Rassengesellschaft
344 Pierre Bertaux, Hölderlin und die Französische Revolution
345 Peter Weiss, Nacht mit Gästen / Wie dem Herrn Mockinpott das Leiden ausgetrieben wird. Zwei Stücke
346 Thomas Freeman / John L. Cameron / Andrew McGhie, Studie zur chronischen Schizophrenie
347 Theodor W. Adorno, Stichworte. Kritische Modelle 2
348 Bero Rigauer, Sport und Arbeit
349 Beiträge zur Erkenntnistheorie. Hrsg. v. Alfred Schmidt
350 Edward Bond, Schmaler Weg in den tiefen Norden
351 Jürgen Becker, Ränder
352 Robert Paul Wolff, Das Elend des Liberalismus
353 Thomas Bernhard, Watten. Ein Nachlaß
354 Jürgen Habermas, Protestbewegung und Hochschulreform
355 Manfred Riedel, Studien zu Hegels Rechtsphilosophie
356 Predrag Vranicki, Mensch und Geschichte
357 Materialien zu James Joyce Dubliner
358 Kritik der Mitbestimmung. Mit Beiträgen von Frank Deppe / Jutta von Freyberg / Christof Kievenheim / Regine Meyer / Frank Werkmeister

359 Erika Runge, Frauen. Versuche zur Emanzipation
360 *im Dialog:* Hartmut Lange, Die Gräfin von Rathenow. Komödie
362 Bertolt Brecht, Kuhle Wampe. Protokoll des Films und Materialien
363 Elena Hochman / Heinz Rudolf Sonntag, Christentum und politische Praxis: Camilo Torres
364 Ivo Michiels, Orchis militaris. Ein Bericht
365 Zbigniew Herbert, Ein Barbar in einem Garten 2
366 Américo Boavida, Angola. Zur Geschichte des Kolonialismus
367 Revolution und Räterepublik in Bremen. Herausgegeben von Peter Kuckuk
368 Lerke Gravenhorst, Soziale Kontrolle abweichenden Verhaltens. Fallstudien an weiblichen Insassen eines Arbeitshauses
369 Bertolt Brecht, Die Geschichte der Simone Machard
370 Der CDU-Staat. Analysen zur Verfassungswirklichkeit in der BRD. Herausgegeben von Gert Schäfer und Carl Nedelmann. *Zwei Bände*
371 Donald Barthelme, Komm wieder, Dr. Caligari. Geschichten
372 Daniel Guérin, Die amerikanische Arbeiterbewegung 1867–1967
373 Robert Kalivoda, Der Marxismus und die moderne geistige Wirklichkeit
374 Paul M. Sweezy, Die Zukunft des Kapitalismus und andere Aufsätze zur politischen Ökonomie
375 Gespräche mit Eingeschlossenen. Gruppenprotokolle aus einer Jugendstrafanstalt. Aufgezeichnet von Tilmann Moser. Mit einem Kommentar von Eberhard Künzel
376 Milan Nápravník, Beobachtungen des stehenden Läufers. Gedichte
377 Bertolt Brecht, Über experimentelles Theater
378 Ror Wolf, Fortsetzung des Berichts
379 Peter Szondi, Hölderlin-Studien. Mit einem Traktat über philologische Erkenntnis
382 Harald Mueller, Großer Wolf / Halbdeutsch. Zwei Stücke
383 Paul Mattick / Bernd Rabehl / Ernest Mandel / Juri Tynjanow, Lenin. Revolution und Politik
384 Bertolt Brecht, Über den Beruf des Schauspielers
387 Christian Meier, Entstehung des Begriffs ›Demokratie‹. Vier Prolegomena zu einer historischen Theorie
388 Janusz Krasiński, Der Karren. Erzählung
391 Walter Benjamin, Über Kinder, Jugend und Erziehung
395 *im Dialog:* Alf Poss, Zwei Hühner werden geschlachtet
410 KRIWET, Apollo Amerika
438 Black Power. Dokumente und Analysen. Herausgegeben von Gerhard Amendt
443 Rainer Werner Fassbinder, Antiteater. Katzelmacher / Pre-Paradise sorry now / Die Bettleroper (nach John Gay)

Alphabetisches Verzeichnis der edition suhrkamp

Abendroth, Sozialgeschichte 106
Adam, Südafrika 343
Adorno, Drei Studien zu Hegel 38
Adorno, Eingriffe 10
Adorno, Impromptus 267
Adorno, Jargon der Eigentlichkeit 91
Adorno, Moments musicaux 54
Adorno, Ohne Leitbild 201
Adorno, Stichworte 347
Über Theodor W. Adorno 249
Aggression und Anpassung 282
Andersch, Die Blindheit 133
Antworten auf H. Marcuse 263
Architektur als Ideologie 243
Artmann, Frankenstein/Fleiß 320
Augstein, Meinungen 214
Baczko, Weltanschauung 306
Baran, Unterdrückung 179
Baran, Zur politisch. Ökonomie 277
Barthelme, Dr. Caligari 371
Barthes, Mythen des Alltags 92
Barthes, Kritik und Wahrheit 218
Barthes, Literatur 303
Basso, Theorie d. polit. Konflikts 308
Baudelaire, Tableaux Parisiens 34
Baumgart, Literatur f. Zeitgen. 186
Becker, Felder 61
Becker, Ränder 351
Beckett, Aus einem Werk 145
Beckett, Fin de partie · Endspiel 96
Materialien zum ›Endspiel‹ 286
Beckett, Warten auf Godot 3
Beiträge zur Erkenntnistheorie 349
Benjamin, Das Kunstwerk 28
Benjamin, Über Kinder 391
Benjamin, Kritik der Gewalt 103
Benjamin, Städtebilder 17
Benjamin, Versuche über Brecht 172
Über Walter Benjamin 250
Bergman, Wilde Erdbeeren 79
Bernhard, Amras 142
Bernhard, Prosa 213
Bernhard, Ungenach 279
Bernhard, Watten 353
Bertaux, Hölderlin 344
Black Power 438
Bloch, Avicenna 22
Bloch, Christian Thomasius 193
Bloch, Durch die Wüste 74
Bloch, Tübinger Einleitung I 11
Bloch, Tübinger Einleitung II 58
Bloch, Über Karl Marx 291
Bloch, Widerstand und Friede 257
Über Ernst Bloch 251
Block, Ausgewählte Aufsätze 71
Blumenberg, Wende 138
Boavida, Angola 366
Bødker, Zustand Harley 309
Böhme, Soz.- u. Wirtschaftsgesch. 253
Bond, Schmaler Weg 350
Brandys, Granada 167
Brecht, Antigone / Materialien 134
Brecht, Arturo Ui 144
Brecht, Ausgewählte Gedichte 86
Brecht, Baal 170
Brecht, Baal der asoziale 248
Brecht, Brotladen 339
Brecht, Der gute Mensch 73
Materialien zu ›Der gute Mensch‹ 247
Brecht, Die Dreigroschenoper 229
Brecht, Die heilige Johanna 113
Brecht, Die Tage der Commune 169
Brecht, Gedichte aus Stücken 9
Brecht, Herr Puntila 105
Brecht, Im Dickicht 246
Brecht, Jasager — Neinsager 171
Brecht, Julius Cäsar 332
Brecht, Kaukasischer Kreidekreis 31
Materialien zum ›Kreidekreis‹ 155
Brecht, Kuhle Wampe 362
Brecht, Leben des Galilei 1
Materialien zu Brechts ›Galilei‹ 44
Brecht, Leben Eduards II. 245
Brecht, Mahagonny 21
Brecht, Mann ist Mann 259
Brecht, Mutter Courage 49
Materialien zu Brechts ›Courage‹ 50
Materialien zu ›Die Mutter‹ 305
Brecht, Schauspieler 384
Brecht, Schweyk 132
Brecht, Simone Machard 369
Brecht, Theater 377
Brecht, Über Lyrik 70
Broch, Universitätsreform 301
Brooks, Paradoxie im Gedicht 124
Brudziński, Katzenjammer 162
Burke, Dichtung 153
Burke, Rhetorik 231
Cabral de Melo Neto, Gedichte 295
Carr, Neue Gesellschaft 281
Celan, Ausgewählte Gedichte 262
Córdova/Michelena, Lateinam. 311

Ćosić, Wie unsere Klaviere 289
Creeley, Gedichte 227
Crnčević, Staatsexamen 192
Crnjanski, Ithaka 208
Dalmas, schreiben 104
Daviĉo, Gedichte 136
Deutsche und Juden 196
Di Benedetto, Stille 242
Dobb, Organis. Kapitalismus 166
Dorst, Toller 294
Dunn, Battersea 254
Duras, Ganze Tage in Bäumen 80
Duras, Hiroshima mon amour 26
Eich, Abgelegene Gehöfte 288
Eich, Botschaften des Regens 48
Eich, Mädchen aus Viterbo 60
Eich, Setúbal / Lazertis 5
Eich, Unter Wasser 89
Eichenbaum, Aufsätze 119
Eliot, Die Cocktail Party 98
Eliot, Der Familientag 152
Eliot, Mord im Dom 8
Eliot, Staatsmann 69
Eliot, Was ist ein Klassiker? 33
Enzensberger, Blindenschrift 217
Enzensberger, Deutschland 203
Enzensberger, Einzelheiten I 63
Enzensberger, Einzelheiten II 87
Enzensberger, Gedichte 20
Enzensberger, Landessprache 304
Eschenburg, Über Autorität 129
Existentialismus und Marxismus 116
Fanon, Algerische Revolution 337
Fassbinder, Antiteater 443
Filho, Corpo vivo 158
Fleischer, Marxismus 323
Folgen einer Theorie 226
Formalismus 191
Foucault, Psychologie 272
Franzen, Aufklärungen 66
Freeman/Cameron/McGhie, Schizophrenie 346
Frisch, Ausgewählte Prosa 36
Frisch, Biedermann 41
Frisch, Chinesische Mauer 65
Frisch, Don Juan 4
Frisch, Stücke 154
Frisch, Graf Öderland 32
Frisch, Öffentlichkeit 209
Frisch, Zürich – Transit 161
Gäng / Reiche, Revolution 228
Germanistik 204
Grass, Hochwasser 40
Gravenhorst, Soz. Kontrolle 368
Grote, Alles ist schön 274
Gründgens, Theater 46
Guérin, Am. Arbeiterbewegung 372
Guérin, Anarchismus 240
Guggenheimer, Alles Theater 150
Haavikko, Jahre 115
Habermas, Protestbewegung 354
Habermas, Technik u. Wissenschaft 287
Hacks, Stücke nach Stücken 122
Hacks, Zwei Bearbeitungen 47
Hamelink, Horror vacui 221
Handke, Die Innenwelt 307
Handke, Kaspar 322
Handke, Publikumsbeschimpfung 177
Hannover, Rosa Luxemburg 233
Haug, Antifaschismus 236
Heller, Nietzsche 67
Heller, Studien zur Literatur 42
Herbert, Ein Barbar 1 111
Herbert, Ein Barbar 2 365
Herbert, Gedichte 88
Hesse, Geheimnisse 52
Hesse, Späte Prosa 2
Hesse, Tractat vom Steppenwolf 84
Hildesheimer, Das Opfer Helena 118
Hildesheimer, Die Verspätung 13
Hildesheimer, Interpretationen 297
Hildesheimer, Mozart / Beckett 190
Hildesheimer, Nachtstück 23
Hildesheimer, Walsers Raben 77
Hochman/Sonntag, Camilo Torres 363
Hobsbawm, Industrie 1 315
Hobsbawm, Industrie 2 316
Hofmann, Stalinismus 222
Hofmann, Universität, Ideologie 261
Höllerer, Gedichte 83
Horlemann/Gäng, Vietnam 173
Horlemann, Konterrevolution 255
Horn, Dressur oder Erziehung 199
Hrabal, Die Bafler 180
Hrabal, Tanzstunden 126
Hrabal, Zuglauf überwacht 256
Huffschmid, Politik des Kapitals 313
Huppert, Majakowskij 182
Hyry, Erzählungen 137
Institutionen i. prim. Gesellsch. 195
Jakobson, Kindersprache 330
Janker, Aufenthalte 198
Jedlička, Unterwegs 328
Jensen, Epp 206
Johnson, Das dritte Buch 100
Johnson, Karsch 59
Joyce, Dubliner Tagebuch 216
Materialien zu Joyces Dubliner 357

Jugendkriminalität 325
Juhász, Gedichte 168
Kalivoda, Marxismus 373
Kasack, Das unbekannte Ziel 35
Kaschnitz, Beschreibung 188
Kipphardt, Hund des Generals 14
Kipphardt, Joel Brand 139
Kipphardt, Oppenheimer 64
Kipphardt, Die Soldaten 273
Kirchheimer, Polit. Herrschaft 220
Kirchheimer, Politik u. Verfassung 95
Kolko, Besitz und Macht 239
Kovač, Schwester Elida 238
Kracauer, Straßen in Berlin 72
Krasiński, Karren 388
KRIWET, Apollo America 410
Krolow, Ausgewählte Gedichte 24
Krolow, Landschaften für mich 146
Krolow, Schattengefecht 78
Kruuse, Oradour 327
Kuckuk, Räterepublik Bremen 367
Kühnl/Rilling/Sager, Die NPD 318
Lagercrantz, Nelly Sachs 212
Laing, Phänomenologie 314
Lange, Gräfin 360
Lange, Hundsprozeß/Herakles 260
Lange, Marski 107
Lefèbvre, Marxismus 99
Lefèbvre, Materialismus 160
Leibfried, Angepaßte Universität 265
Lenin 383
Lévi-Strauss, Totemismus 128
Liebel/Wellendorf, Schülerselbstbefreiung 336
Linhartová, Diskurs 200
Linhartová, Geschichten 141
Loewenstein, Antisemitismus 241
Majakowskij, Verse 62
Herbert Malecki, Spielräume 333
Malerba, Schlange 312
Mándy, Erzählungen 176
Marcuse, Befreiung 329
Marcuse, Kultur u. Gesellschaft I 101
Marcuse, Kultur u. Gesellschaft II 135
Marcuse, Theorie d. Gesellschaft 300
Marković, Dialektik der Praxis 285
Mayer, Anmerkungen zu Brecht 143
Mayer, Anmerkungen zu Wagner 189
Mayer, Das Geschehen 342
Mayer, Radikalismus, Sozialismus 310
Mayoux, Über Beckett 157
Meier, ›Demokratie‹ 387
Merleau-Ponty, Humanismus I 147
Merleau-Ponty, Humanismus II 148
Michel, Sprachlose Intelligenz 270
Michelsen, Drei Akte/Helm 140
Michelsen, Stienz / Lappschiess 39
Michiels, Das Buch Alpha 121
Michiels, Orchis militaris 364
Minder, ›Hölderlin‹ 275
Kritik der Mitbestimmung 358
Mitscherlich, Krankheit I 164
Mitscherlich, Krankheit II 237
Mitscherlich, Unwirtlichkeit 123
Moore, Geschichte der Gewalt 187
Moral und Gesellschaft 290
Moser/Künzel, Gespräche mit Eingeschlossenen 375
Müller, Philoktet / Herakles 5 163
Mueller, Wolf/Halbdeutsch 382
Münchner Räterepublik 178
Mukařovský, Poetik 230
Napoleoni, Ökonom. Theorien 244
Nápravník, Gedichte 376
Nezval, Gedichte 235
Nossack, Das Mal u. a. Erzählungen 97
Nossack, Das Testament 117
Nossack, Der Neugierige 45
Nossack, Der Untergang 19
Nossack, Literatur 156
Kritik der Notstandsgesetze 321
Nowakowski, Kopf 225
Obaldia, Wind in den Zweigen 159
Oglesby/Shaull, Am. Ideologie 341
Olson, Gedichte 112
Ostaijen, Grotesken 202
Pavlović, Gedichte 268
Penzoldt, Zugänge 6
Pinget, Monsieur Mortin 185
Plädoyer f. d. Abschaff. d. § 175 175
Ponge, Texte zur Kunst 223
Poss, Zwei Hühner 395
Preuß, Studentenschaft 317
Price, Ein langes Leben 120
Pross, Bildungschancen 319
Proust, Tage des Lesens 37
Queneau, Mein Freund Pierrot 76
Queneau, Zazie in der Metro 29
Recklinghausen, James Joyce 283
Riedel, Hegels Rechtsphilosophie 355
Riesman, Freud 110
Rigauer, Sport und Arbeit 348
Ritter, Hegel 114
Robinson, Ökonomie 293
Roehler, Ein angeschw. Mann 165
Romanowiczowa, Der Zug 93
Rosenberg, Sozialgeschichte 340
Różewicz, Schild a. Spinngeweb 194

Runge, Bottroper Protokolle 271
Runge, Frauen 359
Russell, Probleme d. Philosophie 207
Sachs, Ausgewählte Gedichte 18
Sachs, Das Leiden Israels 51
Sanguineti, Capriccio italiano 284
Sarduy, Bewegungen 266
Sarraute, Schweigen / Lüge 299
Schäfer/Nedelmann, CDU-Staat 370
Schklowskij, Schriften zum Film 174
Schklowskij, Zoo 130
Schneider/Kuda, Arbeiterräte 296
Schnurre, Kassiber/Neue Gedichte 94
Schram, Die perm. Revolution 151
Schütze, Rekonstruk. d. Freiheit 298
Shaw, Cäsar und Cleopatra 102
Shaw, Die heilige Johanna 127
Shaw, Der Katechismus 75
Skinas, Fälle 338
Sonnemann, Institutionalismus 280
Kritik der Soziologie 324
Sternberger, Bürger 224
Kritik der Strafrechtsreform 264
Strindberg, Ein Traumspiel 25
Sweezy, Kapitalismus 374
Szondi, Hölderlin-Studien 379
Szondi, Theorie des mod. Dramas 27
Tardieu, Museum 131
Teige, Liquidierung 278
Theologie der Revolution 258
Kritik der reinen Toleranz 181
Toulmin, Voraussicht 292
Tschech. Schriftstellerkongreß 326
Tumler, Abschied 57
Tumler, Volterra 108
Tynjanov, Literar. Kunstmittel 197
Válek, Gedichte 334
Verhinderte Demokratie 302
Vossler, Revolution von 1848 210
Vranicki, Mensch und Geschichte 356
Vyskočil, Knochen 211
Waldmann, Atlantis 15
Walser, Abstecher / Zimmerschl. 205
Walser, Heimatkunde 269
Walser, Der Schwarze Schwan 90
Walser, Eiche und Angora 16
Walser, Ein Flugzeug 30
Walser, Leseerfahrung 109
Walser, Lügengeschichten 81
Walser, Überlebensgroß Krott 55
Weiss, Abschied von den Eltern 85
Weiss, Fluchtpunkt 125
Weiss, Gespräch 7
Weiss, Jean Paul Marat 68
Materialien zu ›Marat/Sade‹ 232
Weiss, Nacht / Mockinpott 345
Weiss, Rapporte 276
Weiss, Schatten des Körpers 53
Wekwerth, Notate 219
Wellek, Konfrontationen 82
Wellmer, Gesellschaftstheorie 335
Wesker, Trilogie 215
Wispelaere, So hat es begonnen 149
Wittgenstein, Tractatus 12
Über Ludwig Wittgenstein 252
Wolf, Danke schön 331
Wolf, Fortsetzung des Berichts 378
Wolf, Pilzer und Pelzer 234
Wolff, Liberalismus 352
Wosnessenskij, Dreieckige Birne 43
Wünsche, Der Unbelehrbare 56
Wünsche, Jerusalem 183
Zahn, Amerikan. Zeitgenossen 184